atlas
géopolitique

Réalisation des cartes :

Légendes cartographie/ Frédéric Miotto, Marie-Sophie Putfin

24 nov. 2007

Bonne Fête J.F !
Amuse-toi bien en Indonésie.
Au plaisir de découvrir le
monde et d'en discuter le
vendredi soir autour d'un
verre de vin !
Amitiés
Mathieu

ISBN 9782035826251

Dépôt légal : juin 2007

Yves Lacoste

atlas
géopolitique

LAROUSSE

Sommaire

Qu'est-ce que la géopolitique ?

Le terme de géopolitique, que l'on utilise tant de nos jours, désigne en fait tout ce qui concerne les rivalités de pouvoir ou d'influence sur des territoires et donc sur les populations qui y vivent : rivalités entre des pouvoirs politiques de toutes sortes, et pas seulement entre des États, mais aussi entre des mouvements politiques ou même des groupes armés plus ou moins clandestins ; rivalités pour le contrôle ou la domination de territoires qu'ils soient de grande ou de petite taille.

Les rivalités géopolitiques, par exemple, ne se déroulent pas seulement dans une très vaste région comme le Moyen-Orient (3 000 km d'ouest en est, 4 000 du nord au sud), où il y a l'enjeu d'énormes gisements de pétrole. Le cas d'Israël et de la Palestine montre depuis plus d'un demi-siècle qu'un conflit pour de tout petits territoires (quelques dizaines de kilomètres d'est en ouest) où pourtant il n'y a pas de pétrole, peut être acharné et que ses répercussions loin du Proche-Orient peuvent être très graves, notamment en Europe. En effet, les rivalités de pouvoir ont pris depuis un quart de siècle une dimension mondiale, depuis que des groupes islamistes s'efforcent d'entraî-ner de gré ou de force l'ensemble des musulmans dans la lutte – le djihad – contre l'Occident, en l'occurrence l'Amérique du Nord et l'Europe de l'Ouest, qu'ils accusent de vouloir pervertir l'islam. La formidable montée en puissance de la Chine depuis une vingtaine d'années laisse augurer de nouveaux rapports de force en Asie et de part et d'autre de l'océan Pacifique.

Les raisonnements géopolitiques aident à mieux comprendre les causes plus ou moins anciennes de tel ou tel conflit et à voir plus clair dans les controverses qui opposent des peuples rivaux. La plupart des problèmes géopolitiques résultent d'histoires compliquées que nous avons évoquées dans le livre précédent *Géopolitique, la longue histoire d'aujourd'hui*. Mais il ne suffit pas de se référer à l'Histoire pour mieux comprendre comment on en est arrivé à tel conflit.

Il faut aussi se soucier du présent et observer grâce aux informations dont on dispose, comment tel conflit se déroule sur le terrain, sur quel genre de territoire. Surtout si ce conflit nous concerne et nous inquiète, il faut connaître les grandes lignes de la situation présente et se demander comment elle peut évoluer, quels sont les risques qu'elle s'envenime et se propage, quels sont les scénarios possibles et quels peuvent en être les contrecoups dans des pays plus ou moins proches, compte tenu de leurs problèmes internes. Pour cela, on doit recourir à des cartes très différentes, mais il faut avoir l'idée de les combiner utilement. C'est l'objet de cet *Atlas géopolitique.* C'est ce qu'on pourrait appeler un atlas en mouvements.

Penser le mouvement sur les cartes

Pourquoi parler de mouvements à propos des cartes de cet atlas de géopolitique ? Les dimensions d'un territoire qui est l'enjeu d'un conflit, la distance qu'il faut franchir pour y intervenir déterminent les caractéristiques de la carte qui doit être utilisée pour mener un tel mouvement : s'il se mesure en milliers, en centaines ou seulement en dizaines de kilomètres, on utilisera des cartes établies à des échelles différentes. Plus le territoire qu'il faut représenter est vaste, plus proportionnellement il a fallu en réduire les dimensions pour les représenter sur une carte, et celle-ci est dite à petite échelle ou à très petite échelle ; ce qui est le cas lorsque le globe terrestre est représenté sur une carte d'atlas au 1/130 millionième, toutes les distances étant divisées par 130 millions.

Cependant, si des problèmes géopolitiques d'envergure mondiale peuvent être esquissés sur une carte à très petite échelle, celle-ci n'est évidemment pas suffisante. Il est nécessaire de recourir à des cartes qui représentent des étendues beaucoup moins vastes, mais qui sont plus détaillées et qui fournissent bien plus d'informations. Il faut surtout combiner ces cartes les unes aux autres. Pour cela, on peut mettre en œuvre l'idée de mouvement non plus dans le sens horizontal, mais dans le sens vertical, comme le fait un pilote d'avion qui observe la surface terrestre à plus ou moins haute altitude.

Pour comprendre le déroulement d'un conflit de grande envergure sur une portion du territoire particulièrement disputée et les mouvements d'avancée et de recul des adversaires sur le terrain, il faut en quelque sorte opérer par la pensée le mouvement qui consiste à se situer à différentes altitudes pour combiner en les superposant les informations que fournissent les différentes sortes de cartes : celles qui sont en quelque sorte vues de très haut montrent (à petite échelle) les aspects de très vastes espaces, mais sans grand détail ; en revanche, celles qui résultent d'observations à basse altitude sont bien plus précises, mais ne portent que sur de petites étendues, c'est le cas des plans de ville ou de quartier qui sont des cartes dites à grande échelle au 1/10 000e par exemple (les distances étant seulement réduites par 10 000).

La couverture de ce livre montre un exemple de superposition de différents niveaux d'observation qui se traduisent chacun par des cartes établies à des échelles différentes. Nous verrons au fur et à mesure des chapitres de ce livre comment mettre en œuvre simplement cette méthode de raisonnement qui n'est pas réservée à des spécialistes.

LA MÉTHODE DES DIATOPES

Il est possible de représenter schématiquement la combinaison hiérarchisée de différents pouvoirs par les cartes des territoires qu'ils contrôlent ou qu'ils se disputent, mais aussi par les cartes de leurs relations extérieures. Comme les tailles du territoire de ces États sont très inégales – les uns se mesurent en kilomètres et d'autres en centaines ou en milliers de kilomètres –, ces cartes doivent être établies à des échelles différentes. Mais il faut surtout combiner et hiérarchiser les informations qu'elles fournissent.

Je propose d'appeler « diatope » le type de représentation schématique formée par la superposition de cartes vues en perspective cavalière et d'échelles différentes. La carte à très petite échelle qui forme, pourrait-on dire, le sommet du diatope « montre » en haut de la page ce que l'on pourrait voir ou imaginer depuis un satellite d'observation terrestre. La carte qui forme en bas de la page, le bas du diatope est à relativement grande échelle et correspond à une observation à relativement basse altitude. Entre le haut et le bas du diatope, il y a des niveaux d'observation intermédiaires. Il n'est pas obligatoire de commencer par le niveau supérieur du diatope et il est préférable de se soucier d'abord du niveau où se pose le problème le plus préoccupant. Pour reprendre la comparaison avec le pilote d'avion et ce qu'il voit à plus ou moins haute altitude, il faut surtout s'intéresser au territoire qui est l'objet de sa mission et, ensuite, voir de plus haut pour mieux comprendre ce qui s'y passe ou aller plus bas pour avoir des informations plus précises.

Ne pas confondre grande et petite échelle

À la suite des journalistes, on parle souvent d'opérations à grande échelle, pour dire que d'importants moyens sont mobilisés pour agir sur des territoires relativement vastes. Il en résulte une confusion devenue presque classique avec les expressions grande et petite échelle au sens initial, qui est mathématique et géographique. Les cartes à grande échelle servent à représenter avec précision des espaces de relativement petites dimensions, alors que les cartes à petite échelle servent à représenter de très vastes étendues ou l'ensemble du monde.

Les différents niveaux d'analyse du conflit israélo-palestinien.

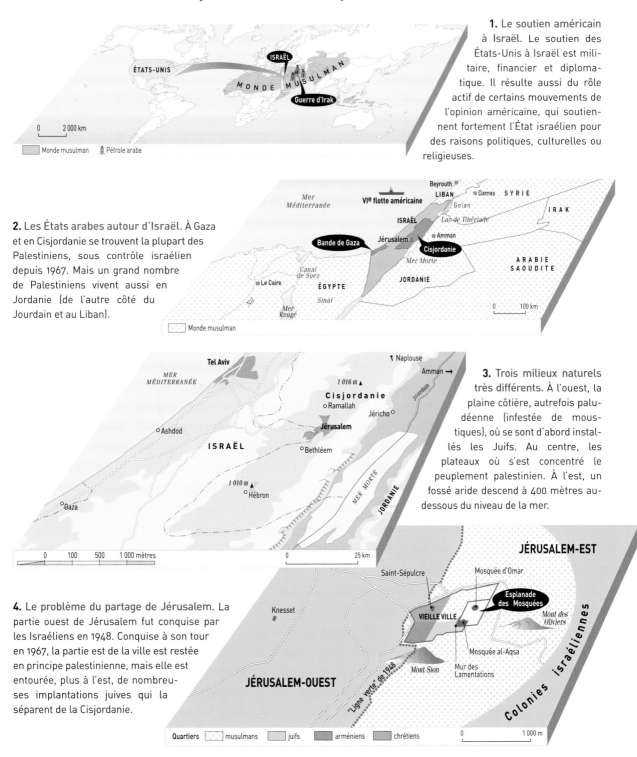

1. Le soutien américain à Israël. Le soutien des États-Unis à Israël est militaire, financier et diplomatique. Il résulte aussi du rôle actif de certains mouvements de l'opinion américaine, qui soutiennent fortement l'État israélien pour des raisons politiques, culturelles ou religieuses.

2. Les États arabes autour d'Israël. À Gaza et en Cisjordanie se trouvent la plupart des Palestiniens, sous contrôle israélien depuis 1967. Mais un grand nombre de Palestiniens vivent aussi en Jordanie (de l'autre côté du Jourdain et au Liban).

3. Trois milieux naturels très différents. À l'ouest, la plaine côtière, autrefois paludéenne (infestée de moustiques), où se sont d'abord installés les Juifs. Au centre, les plateaux où s'est concentré le peuplement palestinien. À l'est, un fossé aride descend à 400 mètres au-dessous du niveau de la mer.

4. Le problème du partage de Jérusalem. La partie ouest de Jérusalem fut conquise par les Israéliens en 1948. Conquise à son tour en 1967, la partie est de la ville est restée en principe palestinienne, mais elle est entourée, plus à l'est, de nombreuses implantations juives qui la séparent de la Cisjordanie.

Ce terme nouveau de diatope est forgé à partir du mot grec *topos* qui signifie « lieu ». Mais on peut lui donner le sens plus général d'espace, faute d'avoir en grec l'équivalent de *khronos*, terme général qui signifie le temps, quelle que soit sa durée. Mais avec *topos*, les mathématiciens ont fait le terme de topologie qui désigne une des grandes parties des mathématiques. Les définitions de la topologie sont devenues très savantes, le mot était synonyme de géométrie de position ou d'analyse de situation, ce qui est intéressant du point de vue géopolitique. Dans le mot diatope, le préfixe *dia* qui signifie non seulement « séparation-distinction », mais aussi « à travers », désigne la distinction des différents niveaux d'analyse spatiale qui sont représentés par les différents plans du diatope. Entre ceux-ci, il faut envisager des relations de cause à effet, pour avoir l'idée de leur articulation.

La méthode du diatope permet de mieux saisir les contrecoups proches ou lointains des conflits géopolitiques. L'analyse d'une situation, qu'elle soit locale, régionale, implique la prise en compte de rapports de force qui se déploient à des niveaux supérieurs sur des espaces de bien plus grande envergure. Il faut donc tenir compte des distances, tout comme de la taille des territoires.

Les rivalités géopolitiques, les rapports de force et les mouvements qui en sont les manifestations combinent plus ou moins directement des distances et des territoires qui relèvent d'ordres de grandeur différents.

Différents niveaux d'analyse d'une situation géopolitique

De nos jours, de très grandes puissances interviennent à plusieurs milliers de kilomètres de leurs frontières dans des conflits très localisés (comme celui du Kosovo, dans l'ex-Yougoslavie) ou dans des pays comme l'Irak, où les tensions géopolitiques étaient déjà grandes entre les différents groupes religieux ou nationaux. Aussi faut-il examiner non seulement des situations géopolitiques fort éloignées les unes des autres, mais aussi de dimensions très différentes : par exemple, celle du très grand État que sont les États-Unis, qui a des enjeux très différents hors de ses frontières et dont l'armée se tient en mesure d'intervenir à 13 000 km de sa capitale dans un très petit État comme Israël. Il faut donc raisonner à différents niveaux d'analyse spatiale.

La méthode des diatopes permet d'y voir plus clair, de poser plus distinctement les problèmes. Le plus délicat est d'envisager les interactions entre ces différents niveaux d'analyse. Or, à cause du développement des phénomènes de mondialisation, notamment de la puissance croissante des moyens de transport aérien à grande distance, de la diffusion immédiate et massive par Internet de toutes sortes d'images, d'idées et d'informations, les interactions sont de plus en plus nombreuses et rapides entre les situations locales ou nationales et les changements de niveau planétaire. Cela a une très grande importance dans la multiplication des conflits et l'évolution rapide des situations géopolitiques.

Des conflits et leurs répercussions à grande distance

L'intérêt croissant que l'on porte aux questions géopolitiques traduit le fait que nombre de citoyens ont pris conscience que des conflits entre des pays plus ou moins lointains, la plupart situés de nos jours autour de la Méditerranée, peuvent se répercuter en Europe occidentale et notamment en France, car ses relations géopolitiques sont multiples et fort importantes avec les pays méditerranéens. Raisonner sur les problèmes géopolitiques et sur les risques qu'ils comportent n'est pas réservé aux spécialistes et aux responsables politiques dont la tâche est de prendre des mesures de précaution ou de défense. Celles-ci concernent l'ensemble des citoyens, et il importe qu'ils puissent mieux comprendre la complexité et la gravité de certaines questions qui se posent dans des contrées plus ou moins proches de notre pays, afin qu'ils fassent preuve de sang-froid devant certaines menaces ou de prétendues solutions qui pourraient être encore plus dangereuses.

Si la plupart des conflits géopolitiques se déroulent entre des forces qui sont territorialement proches les unes des autres, entre des États voisins, de part et d'autre d'une frontière ou d'une ligne de front, il y a aussi des rapports de force entre des pays que séparent de très grandes étendues marines.

L'exemple le plus spectaculaire de tels contrecoups est évidemment le raid de kamikazes arabes (saoudiens pour la plupart) lancé par le groupe islamiste Al-Qaida sur les tours du World Trade Center, à New York, le 11 septembre 2001. Pour le moment, l'issue de la guerre d'Irak est obscure, car le retrait sans doute prochain des troupes américaines, en raison de l'opposition croissante de l'opinion aux États-Unis, peut conduire à d'autres conflits. ∎

Une hyperpuissance qui se sait menacée

Les États-Unis. L'hyperpuissance

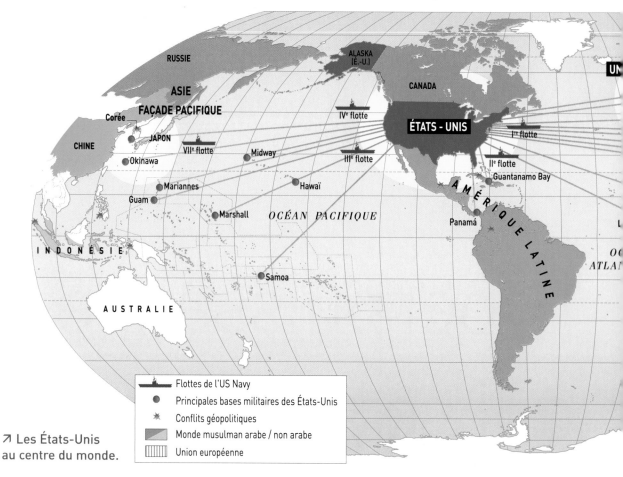

↗ Les États-Unis
au centre du monde.

L'expression « système-monde » désigne la façon dont fonctionnent dans le monde les échanges économiques et financiers qui ont connu depuis deux siècles un très grand essor avec le développement en Europe de ce que l'on peut appeler le système capitaliste mondial. Les États communistes, qui affirmaient le combattre, y participent désormais : l'URSS s'est disloquée, et de nouveaux capitalistes font fortune en Russie et en Chine, où le système capitaliste bat depuis vingt ans tous les records mondiaux de croissance, et cela bien que ce pays soit toujours dirigé par un parti communiste.

au centre du système monde

OPÉENNE		
R U S S I E		
Tchétchénie		
Corée	JAPON	
Afghanistan Cachemire		
Irak	CHINE	VIIe flotte
VIe flotte		
Israël-Palestine		
Sahara	INDE	
MONDE MUSULMAN		
Ve flotte	Sri Lanka	
Tomé Rép. dém. du Congo		
Diego Garcia	INDONÉSIE	
OCÉAN INDIEN		
	AUSTRALIE	

La mondialisation et le rôle paradoxal des États-Unis

La mondialisation, grâce à la libéralisation des circuits financiers et à Internet, permet désormais la circulation rapide des capitaux vers des lieux où les profits escomptés sont les plus importants, et notamment vers les États-Unis, qui sont

Les États-Unis : les chiffres de la puissance

Superficie (en km²)	9 363 520
Population (1)	300 000 000
Densité	32
Taux de natalité (pour 1 000 habitants) [2]	14
Taux de mortalité (pour 1 000 habitants) [2]	8,4
Taux d'accroissement naturel (en % de la population totale) [2]	0,97
Produit national brut (en milliards de dollars) [2]	11 012,6
PNB/hab. en parité de pouvoir d'achat [2]	37 750
Structure du produit intérieur brut : part de l'agriculture [3]	1,6
Structure du produit intérieur brut : part de l'industrie [3]	22,8
Structure du produit intérieur brut : part des services [3]	75,6
Effectifs des forces armées régulières [2]	1 433 600
Part du budget de la Défense dans le produit intérieur brut [2]	4,18

1 : 2006   2 : 2003   3 : 2002

effectivement le centre du système économique et financier mondial, ce qui n'est guère étonnant avec un produit intérieur brut qui dépasse, en 2006, 1 300 milliards de dollars (soit plus de 30 % du PIB mondial) et une population de 300 millions d'habitants (près de 5 % de la population mondiale).

Paradoxalement, les États-Unis sont très endettés, car, depuis des décennies, ils importent beaucoup plus qu'ils n'exportent, et les dépenses du gouvernement fédéral, notamment pour des raisons militaires, sont supérieures au montant des impôts qu'il perçoit. Celui-ci doit donc emprunter à l'étranger des sommes considérables pour maintenir la valeur du dollar. Or, c'est le Japon, la deuxième puissance économique mondiale, et la Chine (qui sera bientôt la troisième), qui prêtent aux États-Unis une grande partie des sommes dont ils ont besoin pour payer leurs importations et soutenir leur monnaie. Car, si la valeur du dollar venait à s'effondrer, cela serait fortement préjudiciable aux pays asiatiques, qui, du fait de l'importance de leurs exportations vers les États-Unis, ont de grosses réserves de monnaie américaine. Ainsi fonctionne grosso modo le système monétaire mondial.

Comment les États-Unis sont devenus une telle puissance

Comment expliquer que les États-Unis, qui ont seulement un peu plus de deux siècles d'existence (en 1786, ils ont moins de 4 millions d'habitants), soient devenus entre deux océans le centre du système-monde ? À cet égard, il n'est pas inutile de constater sur la carte que New York, qui, sans être la capitale, est l'agglomération la plus importante des États-Unis avec 28 millions d'habitants, se trouve en vérité curieusement située : à l'extrémité nord-est de l'Union, dans une étroite plaine côtière, apparemment coincée entre l'Atlantique et des montagnes, les Appalaches.

→ **L'endettement américain.** La consommation des ménages est un des stimulants essentiels du dynamisme de l'économie américaine, ce qui se paye par de très forts déficits de la balance des paiements.

Cependant, la machine continue de tourner grâce, notamment, aux forts placements en dollars que font les étrangers, entre autres chinois. Avec les risques que cela peut comporter.

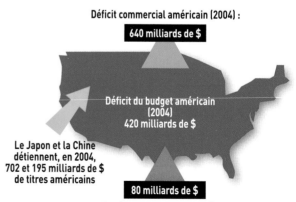

Déficit commercial américain (2004) :
640 milliards de $

Déficit du budget américain (2004)
420 milliards de $

Le Japon et la Chine détiennent, en 2004, 702 et 195 milliards de $ de titres américains

80 milliards de $

Entrées nettes de capitaux étrangers investis par an dans l'économie américaine depuis 2002

Trois approches stratégiques de New York

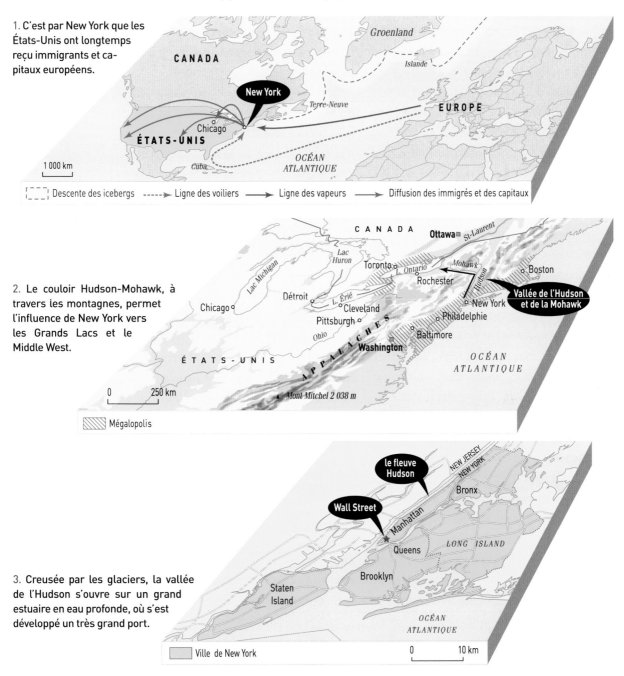

1. C'est par New York que les États-Unis ont longtemps reçu immigrants et capitaux européens.

Groenland

CANADA

Islande

New York

Terre-Neuve

EUROPE

Chicago

ÉTATS-UNIS

OCÉAN ATLANTIQUE

Cuba

1 000 km

┌╌╌┐ Descente des icebergs   ╌╌╌▶ Ligne des voiliers   ──▶ Ligne des vapeurs   ──▶ Diffusion des immigrés et des capitaux

2. Le couloir Hudson-Mohawk, à travers les montagnes, permet l'influence de New York vers les Grands Lacs et le Middle West.

CANADA   Ottawa ■ St-Laurent

Lac Huron

Lac Michigan   Toronto   L. Ontario   Mohawk   Boston

Rochester

Hudson

Détroit   L. Érié   New York   Vallée de l'Hudson et de la Mohawk

Chicago   Cleveland

Pittsburgh   Philadelphie

Ohio   APPALACHES   Baltimore

Washington

ÉTATS-UNIS   OCÉAN ATLANTIQUE

0   250 km

▲ Mont Mitchel 2 038 m

▨ Mégalopolis

3. Creusée par les glaciers, la vallée de l'Hudson s'ouvre sur un grand estuaire en eau profonde, où s'est développé un très grand port.

le fleuve Hudson   NEW JERSEY   NEW YORK

Bronx

Wall Street   Manhattan

Queens   LONG ISLAND

Brooklyn

Staten Island

OCÉAN ATLANTIQUE

▨ Ville de New York   0   10 km

Cette position excentrique s'explique par le fait que le peuplement des États-Unis s'est surtout fait par une immigration en provenance d'Europe occidentale. Pour les navires qui partent des îles Britanniques ou de la mer du Nord, New York ou Boston sont moins loin que les ports américains situés plus au sud, et cet avantage de la route par l'Atlantique nord (à condition d'éviter les icebergs) s'accentuera au XIXe siècle avec les navires à vapeur, alors que les voiliers préféraient prendre une route plus au sud pour être poussés par les alizés. L'avantage de New York, par rapport aux autres ports du nord-est des États-Unis, tient au fait que les montagnes Appalaches sont tranchées par la vallée de l'Hudson, dont l'estuaire forme le port de New York. Cette vallée, profondément creusée par les grands glaciers des débuts de l'ère glaciaire, qui ouvre un large couloir de circulation vers l'ouest, vers les Grands Lacs et Chicago, fera du port de New York le débouché vers l'Europe des productions d'un très vaste arrière-pays industriel et agricole. New York devient d'autant plus le port d'arrivée des immigrants européens que, dans son arrière-pays, dans les plaines très peuplées du Middle West (surtout depuis l'extermination des Indiens), la terre cultivable est attribuée gratuitement en grandes parcelles (63 hectares) à ceux qui la mettent en valeur. En revanche, les immigrants arrivent en moins grand nombre dans les ports du Sud, car, dans leur arrière-pays, la terre a été accaparée par de grands planteurs propriétaires d'esclaves.

À New York débarquent non seulement de pauvres immigrants, mais aussi des gens riches, des banquiers anglais avec des capitaux pour créer des banques qui financeront le développement économique de ce pays neuf que sont les États-Unis. New York en devient la capitale financière, et les banques se concentrent à Wall Street, à la pointe sud de l'île de Manhattan. L'essor de cette nation a été réalisé grâce à un grand afflux de capitaux européens (surtout anglais) et d'immigrants, de jeunes adultes dynamiques qui ont eu l'audace de quitter leur pays (la population passe de 8 à 16 millions de 1816 à 1830, de 30 à 70 millions de 1861 à 1900 et atteint 100 millions en 1915).

Deux guerres mondiales qui se déroulèrent loin des États-Unis

La Première Guerre mondiale fut aussi une grande opportunité pour l'évolution économique des États-Unis : en fournissant alors l'Europe en guerre et en prêtant des sommes considérables à la France et au Royaume-Uni, ils en deviennent les créanciers, alors que, à la veille du conflit, ils étaient les débiteurs des banques britanniques et que les profits du développement américain auraient dû venir enrichir les banques de Londres.

La Seconde Guerre mondiale où les Américains furent entraînés sans l'avoir voulu (le Japon les attaque et Hitler leur déclare la guerre) a obligé les États-Unis à un énorme effort industriel et ceux-ci ont ensuite participé (avec le plan Marshall) au financement de la reconstruction des pays dévasté en Europe occidentale, ce dont a profité à l'industrie américaine. Puis la rivalité avec l'Union soviétique a causé pendant cinquante ans une formidable course aux armements, mais aussi le développement de certaines techniques scientifiques (comme l'informatique, puis Internet). De nombreux savants et ingénieurs de tous les pays émigrent aux États-Unis où ils bénéficient de bonnes conditions de travail.

Le melting-pot

Ces immigrants sont d'abord venus non des pays d'Europe encore peu développés, mais de ceux qui connaissaient déjà un grand essor économique, notamment d'Allemagne. En 2000, le Bureau fédéral de recensement a intégré à ses formulaires une question sur l'ascendance ethnique des Américains. Les quatre cinquièmes de la population y ont répondu : ceux qui se disent d'ascendance allemande sont de loin les plus nombreux (42,8 millions), venant en tête dans 23 États sur 50, tous ceux du Middle West, la plupart de ceux de l'Ouest, plus la Pennsylvanie et la Floride. Ceux qui se disent d'ascendance irlandaise sont 30 millions, les Afro-Américains, 25 millions. Les Américains se déclarant d'ascendance anglaise ne sont que 24 millions (ceux d'ascendance italienne, 15,7 millions, et ceux d'ascendance française, 8,3 millions). L'immigration des pays d'Europe de l'Est et de Russie continue d'être importante et elle fait venir aux États-Unis un grand nombre d'ingénieurs, de scientifiques de haut niveau qui sont plus ou moins au chômage depuis la désorganisation des services de recherche (civils et surtout militaires), à la suite de la dislocation de l'URSS et des autres régimes communistes.

Depuis une vingtaine d'années, l'immigration des Asiatiques (Coréens, Vietnamiens, Chinois, Indiens, etc.) et, encore plus, celle des Latino-Américains se sont beaucoup accrues, ces deux groupes représentant respectivement quelque 10 et 40 millions de personnes.

Une forte croissance démographique due pour 40 % à l'immigration

Après la Seconde Guerre mondiale (où 300 000 soldats américains furent tués), les États-Unis ont 150 millions d'habitants, ils en comptent le double aujourd'hui. Depuis leurs origines, il y a toujours eu une forte immigration aux États-Unis, mais celle-ci, loin de se ralentir comme ce fut le cas dans les années 1930, à cause de la crise de 1929, se maintient à un niveau élevé. Le record fut atteint en 1991, où près de deux millions de personnes furent admises aux États-Unis. De 2001 à 2005, huit millions de personnes s'y installèrent officiellement. La majorité de ces immigrants sont des Latino-Américains (surtout des Mexi-

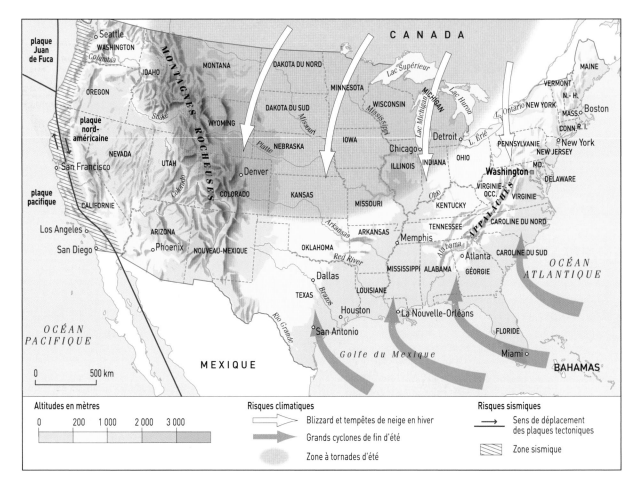

Altitudes en mètres

0   200   1 000   2 000   3 000

Risques climatiques

Blizzard et tempêtes de neige en hiver

Grands cyclones de fin d'été

Zone à tornades d'été

Risques sismiques

Sens de déplacement des plaques tectoniques

Zone sismique

↗ De bonnes conditions naturelles.

Sur cette carte, qui représente la plus grande partie des États-Unis, ne figure pas l'Alaska, qui se situe sur le cercle polaire. Avec 1,5 million de km², il est devenu en 1959 le 49ᵉ État de l'Union et le plus vaste. Ne figure pas non plus ici l'archipel des îles Hawaï, presque au milieu du Pacifique. C'est depuis 1959, le 50ᵉ État de l'Union. Les États-Unis (hormis l'Alaska) ont la chance d'échapper aux hivers très froids, car New York se trouve à la même latitude que Madrid, et les déserts ne s'étendent que sur une petite partie de leur territoire, bien que la Floride soit aux mêmes latitudes que le Sahara.

La sécheresse qui s'étend sur les hautes terres de l'ouest du pays réduit la couche de neige en hiver, ce qui y rend la circulation plus facile. Les grandes villes de la côte du Pacifique se disputent les ressources en eau de l'arrière-pays. Les changements climatiques dus à l'effet de serre font craindre dans les régions subtropicales une aggravation des cyclones. Les États-Unis ont d'immenses plaines sous lesquelles se trouvent d'énormes gisements houillers et de nombreux gisements de pétrole. La plupart de ceux-ci sont en voie d'épuisement, sauf les plus importants, qui se trouvent en bordure du golfe du Mexique. Mais leur exploitation est strictement limitée. Le sud-ouest et l'ouest des États-Unis, depuis le Texas jusqu'à la Californie, dépendaient autrefois de l'empire espagnol puis du Mexique. Ils ont été conquis au milieu du XIXᵉ siècle. Le «Vieux Sud» esclavagiste où les noirs étaient soumis à un statut d'infériorité, est en pleine modernisation depuis les années 1960 et le Civil Right Act (1964) qui proclame illégale la discrimination à l'encontre des populations «de couleur».

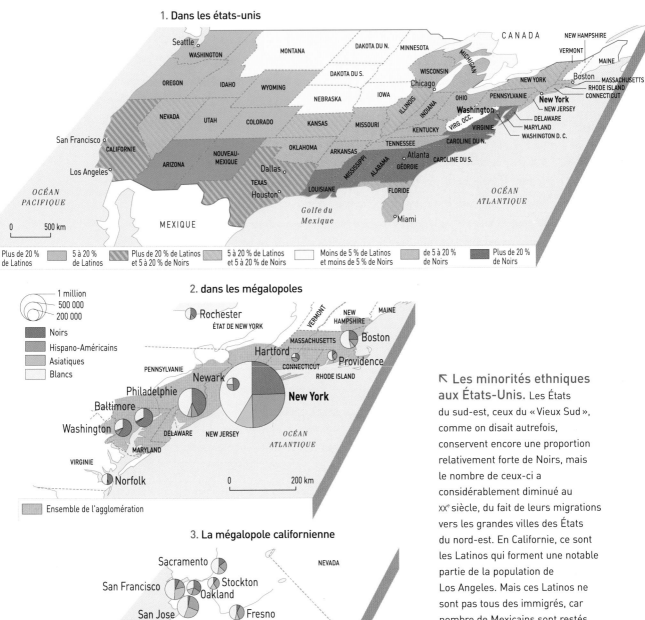

1. Dans les états-unis

Plus de 20 % de Latinos · 5 à 20 % de Latinos · Plus de 20 % de Latinos et 5 à 20 % de Noirs · 5 à 20 % de Latinos et 5 à 20 % de Noirs · Moins de 5 % de Latinos et moins de 5 % de Noirs · de 5 à 20 % de Noirs · Plus de 20 % de Noirs

2. dans les mégalopoles

1 million · 500 000 · 200 000

Noirs · Hispano-Américains · Asiatiques · Blancs

Ensemble de l'agglomération

3. La mégalopole californienne

↖ **Les minorités ethniques aux États-Unis.** Les États du sud-est, ceux du « Vieux Sud », comme on disait autrefois, conservent encore une proportion relativement forte de Noirs, mais le nombre de ceux-ci a considérablement diminué au XXᵉ siècle, du fait de leurs migrations vers les grandes villes des États du nord-est. En Californie, ce sont les Latinos qui forment une notable partie de la population de Los Angeles. Mais ces Latinos ne sont pas tous des immigrés, car nombre de Mexicains sont restés dans les États du sud-ouest après leur annexion par les États-Unis à la fin du XIXᵉ siècle. Les Asiatiques sont évidemment nombreux sur la côte ouest, mais leur pourcentage commence à devenir également important à New York.

cains), mais aussi des Asiatiques (venant d'Inde, de Chine, des Philippines, du Vietnam, de Corée) et des gens d'Europe de l'Est. Cette tradition d'immigration s'accompagne d'un très fort sentiment national, y compris pour les nouveaux venus, fiers d'être enfin Américains.

À cette immigration légale (en moyenne 675 000 personnes par an) s'ajoute celle des immigrants clandestins, près d'un million par an. Ils seraient sans doute dix millions dont quatre pour des raisons temporaires. Depuis l'attaque du 11 septembre et le renforcement du contrôle des personnes qui viennent aux États-Unis, le gouvernement américain, pour empêcher l'immigration illégale, a décidé la construction d'un mur équipé de caméra de surveillance sur 1 200 km de la frontière avec le Mexique. Ceci a provoqué une grande indignation dans toute l'Amérique latine.

La puissance militaire américaine

Mais la prépondérance des États-Unis n'est pas seulement financière, elle est également militaire. Ceux-ci consacrent d'importantes dépenses en armement afin de mettre au point des armes de plus en plus sophistiquées. L'armée américaine entretient 700 bases dans le monde, auxquelles s'ajoutent les grandes fusées nucléaires interconti-

nentales, qui ont un rôle dissuasif et dont aucune n'a été fort heureusement utilisée. Ce n'est pas le cas, en revanche, de la puissance de feu des douze grands porte-avions de l'US Navy, chacun accompagné de son escadre, qui croisent en permanence au large des côtes, dans le Pacifique, l'Atlantique, l'océan Indien et la Méditerranée – la France n'en a qu'un seul, bien plus petit, mais elle est le seul autre État au monde à avoir un vrai porte-avions moderne. La puissance militaire des États-Unis est telle qu'ils lancent parfois leur armée

L'avance de l'armement américain

Il s'exerce sur l'ensemble de la panoplie.

- Le renseignement électronique : au travers du réseau Echelon, dont les bases d'écoute sont implantées dans l'ensemble des pays anglo-saxons, les États-Unis ont la capacité d'intercepter toutes les communications téléphoniques et électroniques à travers le monde. En matière de renseignement électromagnétique (interception des signaux radios et radars), les États-Unis sont à la pointe du progrès, notamment avec les avions Prowler.

- Pour ce qui est de l'armement nucléaire, la primauté américaine a été entérinée par l'accord Poutine-Bush de 2001 fixant, théoriquement, les armements nucléaires stratégiques à 2 500 pour les Américains et à 1700 pour les Russes.

- En matière de missiles, et particulièrement en ce qui concerne le guidage de ceux-ci, les États-Unis disposent du système GPS (Global Positionning System). L'Europe, non sans difficulté, tente de se doter d'un système autonome, Galileo.

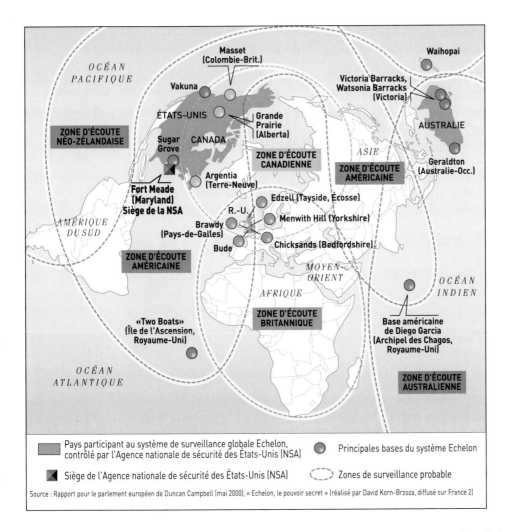

le réseau echelon.

Ce réseau d'écoute électronique a été créé en 1948, au début de la guerre froide. Il regroupe les pays anglo-saxons à travers le monde (plus l'Allemagne, le Danemark, la Norvège et la Turquie). Traitant quelque 3 milliards de données par jour (communications téléphoniques et dans l'espace), il a été réorienté vers le renseignement économique (au point d'être soupçonné de favoriser les entreprises anglo-saxonnes), avant d'être remis en priorité au service de la lutte antiterroriste après le 11 septembre 2001. dans des conflits lointains (comme au Vietnam de 1963 à 1973), croyant l'emporter facilement, surtout si l'adversaire ne paraît pas très redoutable. Mais, en Irak, après l'invasion de 2003, cela tourne mal, et désormais une grande partie de l'opinion américaine fait pression sur les hommes politiques pour que soit mis fin au plus vite à ce conflit.

L'armée américaine et sa présence dans le monde

L'armée américaine comprend au total 1 449 000 militaires, dont 31 000 ne sont pas encore des citoyens américains. 500 000 servent dans l'US Army (l'armée de terre), 176 000 dans l'US Navy (la marine), 375 000 dans le corps des Marines (fusiliers marins), 358 000 dans l'US Airforce (l'aviation) et 40 000 dans les Coast Guards (gardes de côte). À partir de l'abolition en 1973, après la guerre du Vietnam, de la loi sur la conscription (service militaire obligatoire), les effectifs de l'armée américaine ont diminué de 60 %, ce qui pose des problèmes de recrutement pour la guerre en Irak. Il n'y a guère en effet de volontaires pour aller risquer leur vie dans ce conflit dangereux.

Les États-Unis font partie des forces de l'OTAN, l'Organisation du traité de l'Atlantique nord, l'Alliance Atlantique, fondée en 1949, qui comprend, entre autres, le Canada, le Royaume-Uni, la France, l'Italie, etc.

Depuis la fin de la Seconde Guerre mondiale, des effectifs militaires stationnent en Allemagne et au Japon. Avec la fin de la Guerre froide, les forces américaines en Europe ont diminué, ne comptant plus que 75 000 hommes environ. Ils sont 40 000 au Japon, les États-Unis s'étant engagés à participer à la défense du pays par un traité de sécurité, signé en 1960. Depuis la fin de la guerre de Corée (1950-1953), des militaires américains stationnent en Corée du Sud : leur nombre s'élève actuellement à 41 000.

En Irak sont engagés 138 000 soldats, auxquels s'ajoutent environ 40 000 membres des services de sécurité recrutés par des entreprises privées. En 2003, la grande majorité des Américains ont approuvé l'intervention militaire de leur pays en Irak pour en chasser Saddam Hussein, que la Maison-Blanche accusait de posséder des armes de destruction massive. Depuis 2006, la population américaine réclame que les soldats soient retirés d'Irak, où la guerre est devenue de plus en plus confuse et meurtrière, principalement à cause des luttes acharnées qui opposent les Irakiens de confessions religieuses rivales (sunnites contre chiites). Cette guerre a eu aussi pour effet de dresser contre les États-Unis toute l'opinion publique des pays musulmans, même si la plupart des gouvernements arabes entretiennent des relations d'intérêt avec le gouvernement américain.

Les États-Unis sont mal vus par l'opinion mondiale

Dans la plupart des pays (sauf en Israël et en Europe de l'Est), une grande partie de l'opinion, notamment parmi les milieux populaires, a tendance à considérer les États-Unis comme une puissance impérialiste qui exploite les ressources du globe. Les écologistes les accusent également d'être le principal pays pollueur de la planète. Au temps de la « guerre froide », il en était autrement : en Europe occidentale, une notable partie de l'opinion voyait dans l'alliance avec l'Amérique et la présence à l'Est de l'Atlantique des forces américaines de l'OTAN le moyen de résister à l'extension de la domination soviétique.

En Amérique latine, aujourd'hui, les États-Unis sont souvent dénoncés dans les discours comme impérialistes, car l'opinion garde encore en mémoire l'aide que des services secrets américains (comme la CIA) ont apportée durant la guerre froide à des régimes autoritaires anticommunistes.

Le soutien apporté depuis des décennies à Israël a eu pour effet de dresser contre eux l'opinion des pays musulmans. Cette hostilité a redoublé depuis les opérations guerrières que l'armée américaine mène en Irak. Les slogans diffusés par les médias, à tort ou à raison, sur l'im-

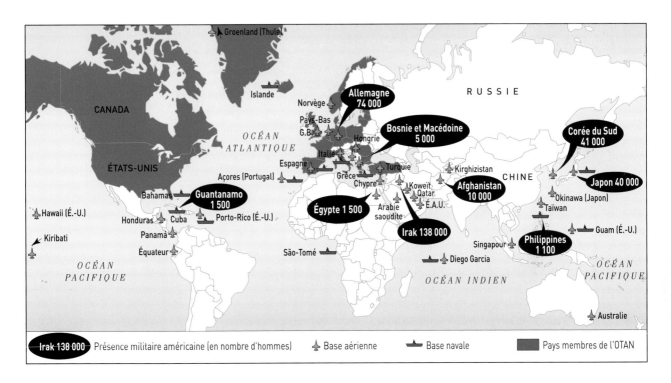

Présence militaire américaine (en nombre d'hommes) ⚓ Base aérienne ⚓ Base navale ⬛ Pays membres de l'OTAN

↗ **Les bases militaires américaines dans le monde.** De 1945 au début des années 1990, la présence militaire américaine à l'étranger obéissait à deux principes : contenir l'ennemi soviétique à l'est et à l'ouest de l'« Eurasie », un concept fort prisé par la géopolitique américaine, et prévenir toute résurgence nationaliste chez les deux vaincus de la Seconde Guerre mondiale, l'Allemagne et le Japon. L'Europe était alors au cœur du dispositif, ce qui n'est plus le cas depuis la chute du communisme. Avec la montée en puissance de la Chine et les nouvelles menaces islamistes, les priorités américaines ont changé : allégement de la présence en Europe au profit de l'Asie, constitution d'un réseau de bases plus petites qu'auparavant, plus discrètes politiquement, mieux réparties à travers le monde (Europe orientale, Afrique, Moyen-Orient, Asie centrale et Asie-Pacifique) et permettant des projections rapides de force sur les points chauds.

périalisme américain ont somme toute une grande importance géopolitique, car, du moins dans les pays démocratiques, les mouvements d'opinion peuvent contribuer à modifier des rapports de force.

Une puissance qui se sait menacée

Il apparaît aujourd'hui que les spectaculaires attaques du 11 septembre 2001 sur New York marquent pour la population américaine un changement géopolitique considérable, car elle s'est rendue compte que la formidable puissance de l'armée américaine n'était sans doute

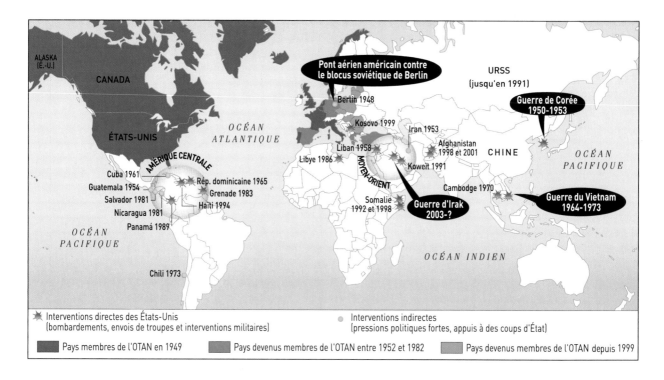

↗ Les principales interventions militaires américaines à l'étranger depuis 1948. Déjà, sous la présidence de Bill Clinton, les États-Unis ont commencé à rééquilibrer leurs forces à l'étranger entre l'Europe et l'Asie, la priorité étant donnée à la seconde. Depuis les années 2000, le commandement américain cherche à établir ses troupes dans des bases plus petites et plus dispersées qu'auparavant, afin d'éviter une trop forte visibilité dans les pays concernés et de permettre une projection plus rapide des forces en cas de crise. Des points d'appui de ce type sont ainsi établis ou programmés en Europe (Bulgarie, Pologne, Roumanie), au Moyen-Orient (Qatar), en Asie centrale (Kirghizistan, Ouzbékistan, Tadjikistan), en Afrique (São Tomé, Djibouti) et en Asie-Pacifique.

pas capable de protéger les États-Unis contre de graves agressions d'un type nouveau lancées de l'extérieur. Il s'agit d'un terrorisme très difficile à déjouer, puisque ses acteurs, par fureur politique et ferveur religieuse, se suicident délibérément avec leurs victimes. C'est un des effets des mouvements islamistes extrémistes qui depuis une vingtaine d'années cherchent à s'imposer de gré ou de force à tous les musulmans.

Ces mouvements tout à la fois politiques et religieux ont décidé de mener une lutte violente contre la domination intellectuelle et scientifique de ce qu'ils appellent l'Occident, c'est-à-dire non

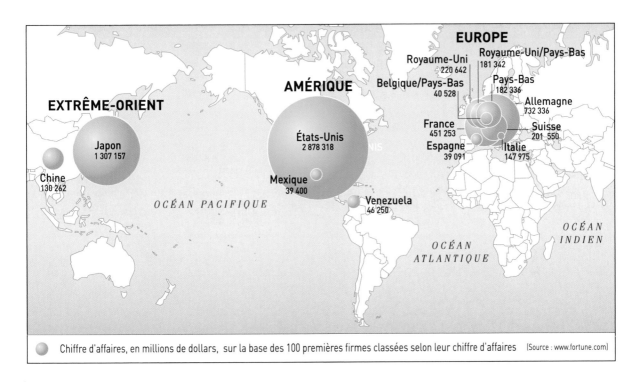

EUROPE

Royaume-Uni
220 642

Royaume-Uni/Pays-Bas
181 342

Belgique/Pays-Bas
40 528

Pays-Bas
182 336

Allemagne
732 336

AMÉRIQUE

France
451 253

Suisse
201 550

Espagne
39 091

Italie
147 975

EXTRÊME-ORIENT

Japon
1 307 157

États-Unis
2 878 318

Chine
130 262

Mexique
39 400

Venezuela
46 250

OCÉAN PACIFIQUE

OCÉAN ATLANTIQUE

OCÉAN INDIEN

Chiffre d'affaires, en millions de dollars, sur la base des 100 premières firmes classées selon leur chiffre d'affaires   (Source : www.fortune.com)

seulement les États-Unis, mais aussi l'Europe. Or celle-ci est beaucoup moins éloignée du monde musulman que l'Amérique et la France a des rapports étroits avec les pays arabes, notamment ceux du Maghreb. Dans une épreuve de force, l'Union européenne qui n'a pas encore de force militaire (à l'exception de celles de la Grande-Bretagne et de la France) peut avoir besoin du soutien de l'OTAN et, en l'occurrence, des États-Unis. Encore faut-il que les dirigeants américains fassent preuve de circonspection – ce qui n'a pas été le cas en Irak – pour ne pas fournir encore plus d'arguments aux islamistes.

↖ **les multinationales américaines dans le monde.** Au début du XXIe siècle, plus de 65 000 firmes multinationales (contre 6 000 en 1967) contrôlent quelque 8 500 00 filiales à travers le monde. Elles emploient au total plus de 54 millions de salariés et réalisent un chiffre d'affaires global de 19 000 milliards de dollars, soit environ le double de la valeur du commerce mondial. Sur les 50 premières multinationales du monde, 33 sont américaines.

Quelles missions pour quelle OTAN ?

En marge des grandes controverses sur l'unilatéralisme américain, bien des questions se posent des deux côtés de l'Atlantique sur les missions et sur les modalités de fonctionnement de l'OTAN. Plusieurs pays européens, dont la France, réclament un partage du commandement militaire au sein de l'organisation, notamment sur façade méditerranéenne, ce que Washington a toujours refusé. À l'inverse, les États-Unis voient dans l'OTAN un outil, parmi d'autres, de projection de la puissance américaine, bien au-delà de l'Europe, notamment vers l'Asie. Ce sont des forces de l'OTAN (Français, Anglais, Turcs, Canadiens) qui, avec les forces américaines, combattent les talibans de retour en Afghanistan.

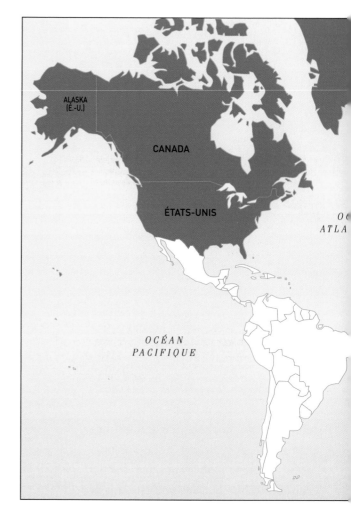

Une hyperpuissance, qui est aussi une démocratie

Certes la politique extérieure des États-Unis peut, à bien des égards, être qualifiée d'impérialiste. C'est dans une grande mesure un effet de leur puissance, ce qui les a impliqué dans diverses parties du monde, notamment pour s'opposer à l'influence des Soviétiques. La différence de taille est devenue si grande entre les États-Unis et les pays d'Europe qui étaient de grandes puissances avant la Seconde Guerre mondiale, que les dirigeants américains ont tendance à ne guère tenir compte de l'avis des Européens.

Mais l'actuelle hyperpuissance qui est historiquement la première des démocraties de l'époque moderne, bien qu'à l'origine il y ait eu des esclaves (jusqu'à la guerre de Sécession 1861-1865 pour l'abolition de l'esclavage) a connu, grâce à la liberté de la presse, un développement progressif de l'esprit démocratique, peut-être plus rapide que dans d'autres démocraties européennes. Le Civil Right Act (1964) proclame illégales,

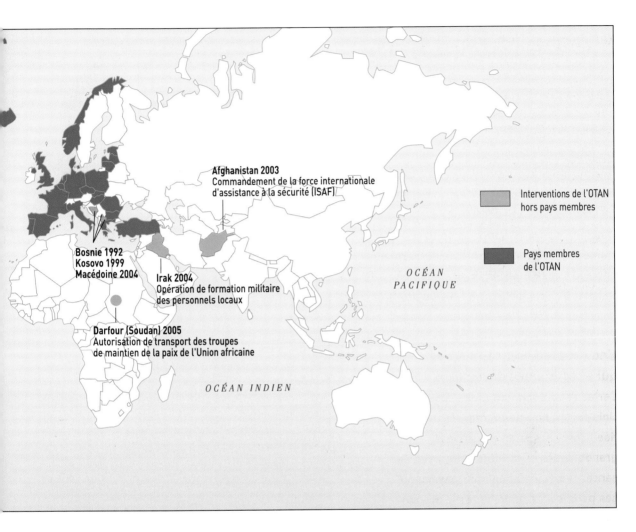

Afghanistan 2003
Commandement de la force internationale
d'assistance à la sécurité (ISAF)

Bosnie 1992
Kosovo 1999
Macédoine 2004

Irak 2004
Opération de formation militaire
des personnels locaux

Darfour (Soudan) 2005
Autorisation de transport des troupes
de maintien de la paix de l'Union africaine

*OCÉAN
PACIFIQUE*

OCÉAN INDIEN

Interventions de l'OTAN
hors pays membres

Pays membres
de l'OTAN

dans toute l'Union, toutes les formes de discrimination à l'encontre des populations « de couleur ». L'opinion américaine, grâce aux traditions de liberté d'expression, peut obliger ses dirigeants à arrêter des aventures militaires extérieures, si elles s'avèrent dangereuses ou trop coûteuses en vies humaines, comme ce fut le cas au Vietnam. ∎

↖ **L'extension du domaine de l'OTAN.** « Il nous incombe à nous, Nord-Américains et Européens, de tourner davantage vers l'extérieur la grande puissance de notre Alliance. » Ainsi s'exprimait, en décembre 2005, l'ambassadeur des États-Unis auprès de l'OTAN. Cette déclaration résume bien le rôle que Washington entend donner désormais à l'Alliance : celui d'une

coalition sur mesure qui, selon les circonstances, peut assister, chapeauter ou suppléer les forces américaines dans leurs interventions à travers le monde, qu'il s'agisse de missions humanitaires (Somalie, Indonésie, Pakistan) ou, de façon plus significative, de missions politico-militaires (Kosovo, Afghanistan, Irak).

Les États-Unis
et le monde musulman

L'image de l'Amérique dans l'opinion musulmane est devenue celle d'une puissance « chrétienne et juive », n'ayant d'autre dessein que de détruire l'islam. Utilisant le titre de l'ouvrage de Samuel Huntington, qui a pourtant beaucoup choqué, aux États-Unis comme en Europe, les islamistes extrémistes propagent la thèse selon laquelle le monde vivrait un « choc des civilisations », c'est-à-dire des religions. Aussi ces derniers recrutent-ils assez facilement des volontaires pour commettre des attentats-suicides. Il importe de rappeler brièvement comment on en est arrivé là.

Les relations des États-Unis avec le monde musulman ont longtemps été bien meilleures que celles de la Grande-Bretagne et de la France, accusées de colonialisme. Après la Première Guerre mondiale, ce fut avec l'Irak que les Américains entrèrent d'abord en contact, lors du partage du capital de la compagnie pétrolière qu'avaient créée les Allemands et les Turcs. À partir de l'Irak, les compagnies américaines s'intéressèrent à des prospections en Arabie. C'est alors qu'elles eurent la chance de tomber sur

Les islamistes, grands adversaires des États-Unis

Les divers mouvements politiques que l'on qualifie couramment d'islamistes se proclament les adversaires des États-Unis. Mais il n'en a pas toujours été ainsi. Le mouvement le plus influent aujourd'hui, celui des Frères musulmans, a été fondé en 1928 en Égypte pour lutter contre le principal parti égyptien, le Wafd. Celui-ci voulait alors développer l'Égypte selon les méthodes démocratiques et libérales des pays européens. Au contraire, les Frères musulmans exigent toujours que tous les changements soient conformes à de strictes règles islamistes, telles qu'elles sont formulées dans le Coran. Les Frères musulmans ont commencé à combattre des Européens en 1920, lorsque les Anglais ont laissé s'installer en Palestine des Juifs venus d'Europe. Des agents d'Adolf Hitler nouèrent des contacts avec des notables palestiniens (notamment le grand mufti de Jérusalem) qui faisaient partie des Frères musulmans. Ceux-ci, depuis la création de l'État d'Israël en 1948, n'ont cessé de dénoncer le soutien des Occidentaux aux Israéliens. Cependant les États-Unis sont, depuis 1945, les alliés de l'Arabie saoudite, dont la dynastie s'appuie depuis le XIXe siècle sur la confrérie des wahhabites, qui veillent à la stricte application du Coran. Ils peuvent en fait être considérés comme les tout premiers islamistes, bien plus rigoristes que les habitants de La Mecque. C'est la révolution des islamistes iraniens dirigés par l'iman chiite Khomeiny qui, en 1979, chassa les États-Unis d'Iran, après avoir dénoncé comme impie la modernisation qu'avait entreprise le shah. L'islamisme a pris des formes extrémistes avec les talibans en Afghanistan et avec Al-Qaida, qui est devenu un réseau international en contact avec celui des Frères musulmans.

Bons rapports depuis 2001

KAZAKHSTAN

Irak en guerre mais gouvernement soutenu par les Américains

Afghanistan en guerre, mais gouvernement soutenu par les Américains

OUZBÉK.

KIRGH.

Turquie dans l'OTAN depuis 1952

TURQUIE

AZ.

TURKM.

TADJ.

SYRIE

Iran tension depuis 1979

AFGHANISTAN

TUNISIE

Mer Méditerranée

IRAK

MAROC

JORD.

IRAN

PAKISTAN

ALGÉRIE

LIBYE

ÉGYPTE

K.

Arabie saoudite alliance depuis 1945

Pakistan alliance depuis 1954

Libye rapprochement depuis 2003

OMAN

Égypte entente depuis 1978

YÉMEN

SOUDAN

SOMALIE

OCÉAN ATLANTIQUE

OCÉAN INDIEN

0   1 000 km

Rapports étroits | Bons rapports | Rapports de méfiance | Tension conflictuelle | Pays en guerre civile contrôlé par les États-Unis

↑ **Les rapports des États-Unis avec les gouvernements musulmans .** Si les États-Unis sont souvent conspués par l'opinion publique des pays musulmans, force est de reconnaître que, depuis 1945,

Washington est parvenu à nouer des rapports étroits avec les gouvernements de nombre de ces États. Les Américains ont su profiter de la crainte de la menace soviétique (Turquie, 1952), de sa puissance financière

(Arabie saoudite, 1945), de tensions régionales (Pakistan contre l'Inde proche de l'URSS, en 1954), de la fin de l'URSS (Asie centrale, après 1991), d'un recul de l'influence française (Maghreb), voire de retournements politiques

spectaculaires (Égypte, 1978, Libye, 2003). En revanche, ils ont subi un très grave revers en Iran (1979), un échec en Somalie (années 1990) et la situation est loin d'être réglée en Afghanistan et moins encore en Irak.

un énorme gisement pétrolier près de la côte du golfe Persique. En 1945, sur un navire de guerre américain, le président Roosevelt rencontrait le roi Ibn Saoud d'Arabie et concluait un accord d'alliance : le royaume n'accorderait de concession pétrolière qu'aux compagnies américaines constituant l'Aramco (Arabian-American Oil Company), et en échange les États-Unis assureraient la défense de l'Arabie saoudite.

En 1953, les États-Unis intervinrent dans un litige qui opposait la compagnie pétrolière britannique (*Anglo-Iranian Oil Compagny*, aujourd'hui *British Petroleum*) au gouvernement iranien, lequel, faute d'obtenir une majoration des revenus du pétrole (royalties), avait décidé la nationalisation de l'exploitation pétrolière. Les États-Unis soutinrent l'Iran, au grand dam des Anglais, et nouèrent avec le Shah un accord de

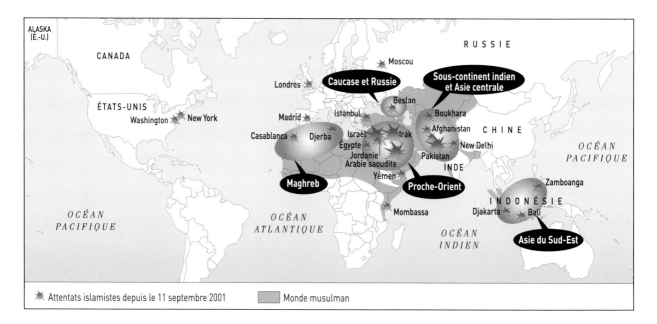

↑ **Les attentats islamistes dans le monde (2001-2005).** La carte des attentats islamistes regroupe plusieurs types de situations : actions contre l'« ennemi principal », les États-Unis (New York, mais aussi Irak ou Afghanistan), ou contre leurs forces à l'étranger (Yémen, 2003) ; actions contre leurs alliés en Irak (Madrid, 2004, et Londres, 2005) ; actions contre les touristes occidentaux (Indonésie, Égypte, Kenya), contre des agents économiques occidentaux (Yémen, techniciens français au Pakistan), contre des communautés juives (Maroc, Tunisie, Turquie) ; action contre des gouvernements jugés inféodés à Washington (Irak, Afghanistan, Arabie saoudite, Philippines) ; actions de portée régionale (Russie et question tchétchène, Inde et question du Cachemire).

défense contre l'URSS (dont les visées sur l'Iran avaient été évidentes en 1945). En 1973, prenant prétexte d'une nouvelle guerre entre Israël et les pays arabes voisins, le shah d'Iran et le président algérien Boumédiène décidaient brusquement le triplement du prix mondial du pétrole, avec l'accord des autres pays exportateurs et celui des compagnies américaines, dont les profits se trouvèrent d'autant majorés.

La révolution iranienne

L'Iran connut alors une période de modernisation rapide et de grand développement économique et industriel. Le shah, pour diffuser dans la population les effets de cette modernisation, entreprit une réforme agraire, impliquant notamment le partage de ses domaines, mais aussi de ceux appartenant aux grands notables religieux, les ayatollahs (l'islam chiite, à la différence de l'islam sunnite, se caractérise en effet par l'existence d'un clergé puissant et hiérarchisé). C'est cette réforme agraire et cette modernisation qui dressèrent contre le shah les ayatollahs. Ceux-ci, avec le soutien du parti Toudeh (plus ou moins communiste), provoquèrent en 1979 une révolution qui, sous la direction de l'ayatollah Khomeiny, allait conduire à l'instauration d'une république islamique (le Toudeh ayant été écarté). Les

Américains furent chassés du pays, et le personnel de leur ambassade fut même retenu prisonnier durant des mois. Peu après, en décembre 1979, les Soviétiques occupaient l'Afghanistan, ce qui apparut comme une nouvelle défaite des Américains. En fait, les Soviétiques ne chercheront pas à aller plus loin et se retireront en 1988.

La guerre du Golfe et ses conséquences

La désorganisation de l'armée du shah donna l'idée à Saddam Hussein, devenu maître de l'Irak, d'attaquer l'Iran, avec le soutien des puissances occidentales, inquiètes de la propagation des idées islamistes et des visées de Khomeiny sur La Mecque. Cette guerre, qui dura de 1980 à 1988, fut terrible. Deux ans plus tard, en août 1990, Saddam Hussein attaquait brusquement le riche État pétrolier du Koweït. Devant le risque que cette offensive se prolonge jusqu'en Arabie saoudite, les États-Unis, conformément aux accords de 1945, envoyèrent immédiatement des troupes, renforcées par celles de nombreux États (dont la France et la Grande-Bretagne), qui, sous l'égide des Nations unies, obligèrent Saddam Hussein à évacuer le Koweït et à détruire les fusées avec lesquelles il avait cherché à atteindre Israël. Cette guerre du Golfe (1991) allait avoir de lointaines

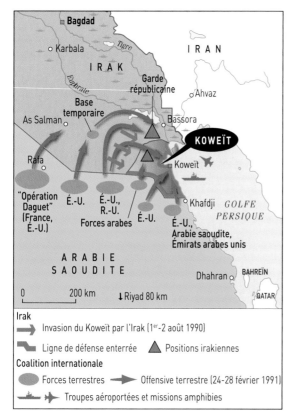

Irak

→ Invasion du Koweït par l'Irak (1er-2 août 1990)

▰ Ligne de défense enterrée ▲ Positions irakiennes

Coalition internationale

⬭ Forces terrestres → Offensive terrestre (24-28 février 1991)

🚢✈ Troupes aéroportées et missions amphibies

Djihadiste

Mot formé à partir de *djihad* qui signifie en arabe l'effort suprême mené à titre personnel ou collectif, le combat à titre spirituel, politique ou guerrier. Terme désignant des combattants islamistes qui mènent la guerre sainte contre les ennemis de l'islam salafiste.

À la fin XIXe siècle, la *salafiya*, le retour aux fondements de l'islam fut un mouvement de grands réformateurs musulmans qui voulaient réconcilier la science et la foi pour une renaissance (*nahda*) culturelle du monde arabe. De nos jours, les salafistes sont des islamistes qui tous prêchent le retour au Coran et, pour certains, la participation au *djihad*.

↑ **La guerre du Golfe.** En août 1990, Saddam Hussein envahit le Koweït en déclarant son intention d'en faire la douzième province de l'Irak. Avec l'approbation du Conseil de sécurité, les États-Unis réunissent autour d'eux une vaste coalition qui inclut de nombreux États arabes, comme le Maroc ou l'Arabie saoudite. Forte de plus de 500 000 hommes, principalement américains, la coalition conduit, début 1991, une offensive en deux temps : une phase aérienne qui pulvérise les moyens de l'Irak, suivie de l'engagement direct au sol des forces terrestres. Débordées sur leurs ailes, les forces irakiennes sont finalement anéanties par le mouvement de faux de la coalition. La victoire militaire, totale, n'est cependant pas suivie par un règlement politique durable dans la région.

conséquences, dont la gravité n'allait apparaître que dix ans plus tard pour les Américains, avec l'attaque du 11 septembre 2001. En effet, la dynastie saoudienne et son soutien religieux, la confrérie wahhabite, furent accusés d'avoir laissé violer par des non-musulmans la terre sacrée de l'islam qu'est l'Arabie. L'accusation vint de jeunes et riches Saoudiens qui s'étaient illustrés dans la lutte contre l'athéisme soviétique en Afghanistan. Parmi ceux-ci, Oussama Ben Laden, chargé de dispenser aux différents partis islamistes afghans, via le Pakistan, l'aide financière fournie par de riches Saoudiens (voir diatope page 36-37).

Al-Qaida en Afghanistan puis en Irak

Les critiques de Ben Laden contre la dynastie saoudienne s'amplifièrent ; celui-ci l'accusait notamment de ne pas demander aux Américains de retirer leurs bases militaires d'Arabie. Ben Laden fonda alors l'organisation Al-Qaida (la « base ») et l'installa en Afghanistan, après que les talibans en eurent achevé la conquête. C'est depuis ce pays que les réseaux d'Al-Qaida montèrent cette extraordinaire opération que fut l'attaque du 11 septembre 2001.

La riposte américaine sur l'Afghanistan fut immédiate, et les talibans en furent chassés fin 2001. Oussama Ben Laden ayant pu s'échapper (sans doute au Pakistan) et Al-Qaida ayant continué ses opérations, le président George W. Bush décida de lancer en avril 2003 une opération en Irak pour y éliminer Saddam Hussein, devenu depuis la guerre du Golfe l'ennemi proclamé de l'Amérique. La victoire du corps expéditionnaire américain fut très rapide ; Bagdad fut pris en quelques jours ; mais les stratèges américains ne se doutaient pas qu'ils allaient se trouver confrontés à une violente guerre civile entre Irakiens sunnites et chiites, dont la vieille rivalité serait diaboliquement attisée par Al Zarqaoui, chef des réseaux d'Al-Qaida en Irak. Cette guerre d'Irak s'accompagne d'une tension croissante avec l'Iran, qui projette sa puissance au Moyen-Orient et profite des embarras dans lesquels se trouvent les Américains pour

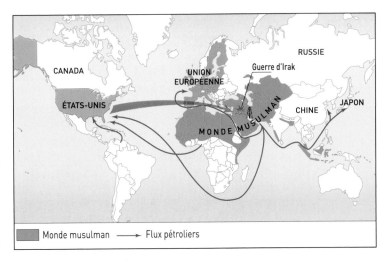

Monde musulman ———→ Flux pétroliers

↑ **La projection américaine vers le Moyen-Orient.** Cette représentation très schématique des rapports entre les États-Unis et le monde musulman accorde, non sans raison, une grande importance aux flux pétroliers. À noter cependant qu'une partie seulement des exportations pétrolières du Moyen-Orient atteint les États-Unis. En revanche, les compagnies pétrolières américaines contrôlent une part bien plus forte du marché mondial. C'est par leur intermédiaire, en effet, que s'opère dans un grand nombre de pays la commercialisation des pétroles du Golfe. Sur la carte, la flèche qui part des États-Unis vers le Moyen-Orient signifie la projection de la puissance américaine vers cette zone du monde tant sur le plan militaire que sur le plan économique ou culturel, notamment vers Israël, mais aussi vers l'Égypte qui est alimentée par les céréales américaines. La carte symbolise aussi le rapport de forces entre le monde musulman et l'hyperpuissance à laquelle, bon gré mal gré, l'Union européenne est associée.

affirmer ses prétentions nucléaires. Plus grave encore, l'opinion du monde musulman est plus que jamais hostile aux Américains, auxquels elle attribue la responsabilité des atrocités d'une guerre entre musulmans. ∎

Trente ans de rivalités de pouvoir au Moyen-Orient et leurs répercussions aux États-Unis

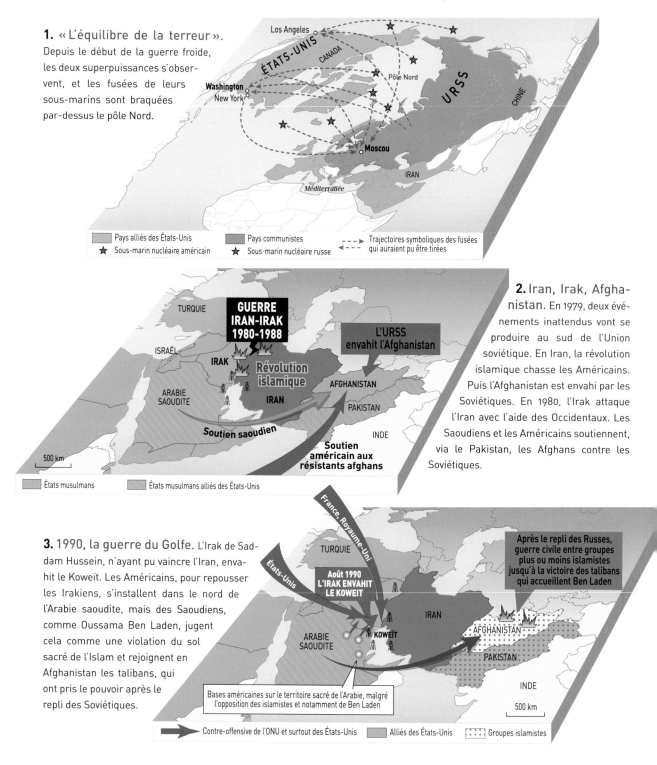

1. « L'équilibre de la terreur ».
Depuis le début de la guerre froide, les deux superpuissances s'observent, et les fusées de leurs sous-marins sont braquées par-dessus le pôle Nord.

Los Angeles
ÉTATS-UNIS
CANADA
Washington
New York
Pôle Nord
URSS
CHINE
Moscou
IRAN
Méditerranée

▢ Pays alliés des États-Unis	▢ Pays communistes
★ Sous-marin nucléaire américain	★ Sous-marin nucléaire russe

‑‑‑‑➤ Trajectoires symboliques des fusées qui auraient pu être tirées

2. Iran, Irak, Afghanistan. En 1979, deux événements inattendus vont se produire au sud de l'Union soviétique. En Iran, la révolution islamique chasse les Américains. Puis l'Afghanistan est envahi par les Soviétiques. En 1980, l'Irak attaque l'Iran avec l'aide des Occidentaux. Les Saoudiens et les Américains soutiennent, via le Pakistan, les Afghans contre les Soviétiques.

TURQUIE
GUERRE IRAN-IRAK 1980-1988
ISRAËL
IRAK
Révolution islamique
IRAN
L'URSS envahit l'Afghanistan
AFGHANISTAN
PAKISTAN
INDE
ARABIE SAOUDITE
Soutien saoudien
Soutien américain aux résistants afghans
500 km

▢ États musulmans	▢ États musulmans alliés des États-Unis

3. 1990, la guerre du Golfe. L'Irak de Saddam Hussein, n'ayant pu vaincre l'Iran, envahit le Koweït. Les Américains, pour repousser les Irakiens, s'installent dans le nord de l'Arabie saoudite, mais des Saoudiens, comme Oussama Ben Laden, jugent cela comme une violation du sol sacré de l'Islam et rejoignent en Afghanistan les talibans, qui ont pris le pouvoir après le repli des Soviétiques.

France, Royaume-Uni
États-Unis
TURQUIE
Août 1990 L'IRAK ENVAHIT LE KOWEÏT
KOWEÏT
IRAN
AFGHANISTAN
PAKISTAN
ARABIE SAOUDITE
INDE
500 km

Après le repli des Russes, guerre civile entre groupes plus ou moins islamistes jusqu'à la victoire des talibans qui accueillent Ben Laden

Bases américaines sur le territoire sacré de l'Arabie, malgré l'opposition des islamistes et notamment de Ben Laden

➤ Contre-offensive de l'ONU et surtout des États-Unis	▢ Alliés des États-Unis	⠿ Groupes islamistes

4. **11 septembre 2001.** Les tours du World Trade Center à New York sont frappées par des avions détournés aux États-Unis par l'organisation Al-Qaida, basée en Afghanistan. Dès le mois d'octobre, les forces américaines bombardent l'Afghanistan et en chassent les talibans, qui se réfugient au Pakistan.

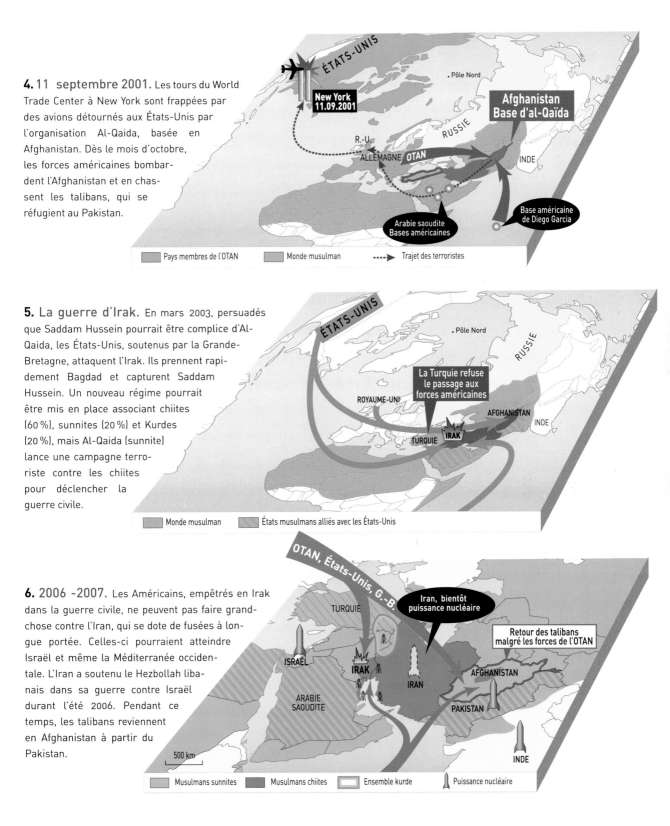

ÉTATS-UNIS

New York
11.09.2001

Afghanistan
Base d'al-Qaïda

. Pôle Nord

R.-U.

RUSSIE

ALLEMAGNE **OTAN**

INDE

Arabie saoudite
Bases américaines

Base américaine
de Diego Garcia

| | Pays membres de l'OTAN | | Monde musulman | ...➤ Trajet des terroristes |

5. La guerre d'Irak. En mars 2003, persuadés que Saddam Hussein pourrait être complice d'Al-Qaida, les États-Unis, soutenus par la Grande-Bretagne, attaquent l'Irak. Ils prennent rapidement Bagdad et capturent Saddam Hussein. Un nouveau régime pourrait être mis en place associant chiites (60 %), sunnites (20 %) et Kurdes (20 %), mais Al-Qaida (sunnite) lance une campagne terroriste contre les chiites pour déclencher la guerre civile.

ÉTATS-UNIS

. Pôle Nord

RUSSIE

La Turquie refuse
le passage aux
forces américaines

ROYAUME-UNI

AFGHANISTAN

INDE

TURQUIE   IRAK

| | Monde musulman | | États musulmans alliés avec les États-Unis |

6. 2006 -2007. Les Américains, empêtrés en Irak dans la guerre civile, ne peuvent pas faire grand-chose contre l'Iran, qui se dote de fusées à longue portée. Celles-ci pourraient atteindre Israël et même la Méditerranée occidentale. L'Iran a soutenu le Hezbollah libanais dans sa guerre contre Israël durant l'été 2006. Pendant ce temps, les talibans reviennent en Afghanistan à partir du Pakistan.

OTAN, États-Unis, G.-B.

Iran, bientôt
puissance nucléaire

TURQUIE

Retour des talibans
malgré les forces de l'OTAN

ISRAËL

IRAK

IRAN

AFGHANISTAN

ARABIE
SAOUDITE

PAKISTAN

500 km

INDE

| | Musulmans sunnites | | Musulmans chiites | | Ensemble kurde | ⋀ Puissance nucléaire |

La géopolitique des grandes nations

L'Union européenne, une entente économique et peut-être politique

L'Union européenne, qui a succédé en 1992 à la Communauté économique européenne, rassemble aujourd'hui 27 États-nations et cinq cents millions d'habitants. Elle apparaît statistiquement comme la plus grande puissance économique mondiale ; elle a une monnaie commune (qui n'a cependant cours que dans douze des États membres). Mais cette Union n'est pas encore véritablement un ensemble géopolitique. En effet, ces 27 États demeurent à bien des égards indépendants les uns des autres ; chacun d'eux est attaché à ses particularités nationales et conserve son armée et ses propres lois, en dépit des progrès d'une législation commune sur certaines questions. Celles-ci sont traitées par la Commission européenne, qui siège à Bruxelles, les commissaires européens étant nommés par les gouvernements des États membres. Une Cour européenne de justice siège à Luxembourg, et l'Assemblée européenne, à Strasbourg ; c'est elle qui réunit des députés européens élus dans chaque État au suffrage universel. À noter que la majorité des Suisses et des Norvégiens ne souhaitent pas faire partie de l'Union européenne.

Les difficultés dues à l'élargissement accéléré de l'Union

En 1992, il était déjà difficile et ambitieux de vouloir transformer progressivement le « Marché commun » en un ensemble politique qui serait commun à douze États (le gouvernement britannique n'y était d'ailleurs pas favorable). Mais les promoteurs de cette grande

↗ **Les niveaux de vie en Europe occidentale** La différence des niveaux de vie moyens entre les 27 pays de l'UE ne manque pas de poser des problèmes économiques, et donc politiques. Les pays les plus riches de l'Ouest, au premier rang desquels l'Allemagne et l'Autriche, craignent les flux migratoires en provenance de l'Est et, plus largement, les salariés de l'Ouest redoutent une concurrence qui baisserait leurs revenus. C'est d'ailleurs une des clefs d'explication de l'échec du référendum de mai 2005 en France.

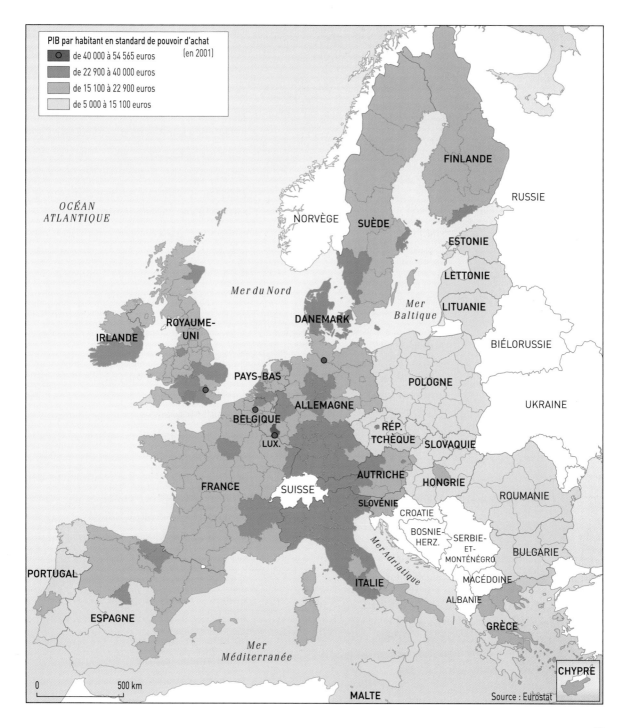

PIB par habitant en standard de pouvoir d'achat
(en 2001)
- de 40 000 à 54 565 euros
- de 22 900 à 40 000 euros
- de 15 100 à 22 900 euros
- de 5 000 à 15 100 euros

OCÉAN ATLANTIQUE

NORVÈGE
RUSSIE
FINLANDE
SUÈDE
ESTONIE
LETTONIE
Mer Baltique
LITUANIE
Mer du Nord
DANEMARK
BIÉLORUSSIE
ROYAUME-UNI
IRLANDE
PAYS-BAS
POLOGNE
UKRAINE
BELGIQUE
ALLEMAGNE
LUX.
RÉP. TCHÈQUE
SLOVAQUIE
FRANCE
SUISSE
AUTRICHE
HONGRIE
ROUMANIE
SLOVÉNIE
CROATIE
BOSNIE-HERZ.
SERBIE-ET-MONTÉNÉGRO
BULGARIE
Mer Adriatique
MACÉDOINE
PORTUGAL
ITALIE
ALBANIE
GRÈCE
ESPAGNE
Mer Méditerranée
CHYPRE
0   500 km
MALTE
Source : Eurostat

41

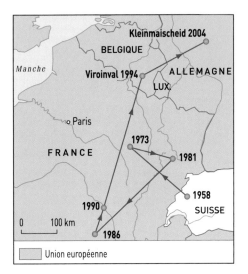

↗ **Le centre géométrique de l'Union européenne.**
Le déplacement progressif du centre géographique de l'UE depuis un point du territoire français jusqu'en Allemagne marque un déplacement géopolitique significatif de l'ensemble communautaire. D'un ensemble très axé sur l'Europe occidentale, l'UE est désormais davantage tournée vers l'Europe centrale et orientale. La chute du mur de Berlin, en 1989, comme la volonté allemande d'étendre sa zone d'influence sur ses voisins de l'Est ont modifié l'extension géographique, et sans doute aussi politique, du projet européen.

Les «grands hommes» européens

En 2003, une enquête réalisée dans six pays européens (Allemagne, Espagne, France, Grande-Bretagne, Italie et Pologne) sur les personnages historiques préférés des Européens donnait le résultat suivant (en % des réponses) : Winston Churchill (22), Marie Curie (19), Charles de Gaulle (19), Konrad Adenauer (15), Willy Brandt (14), Napoléon (14), Pablo Picasso (12), Charlie Chaplin (10), la reine Victoria (10), Victor Hugo (9), Frédéric Chopin (8), Karl Marx (8), Garibaldi (6) et Goethe (5). Si les réponses expriment souvent une préférence nationale, on note une vraie popularité de W. Churchill en France et en Italie, et de C. de Gaulle en Allemagne.

idée n'ont pas pris garde au fait que les difficultés allaient devenir d'autant plus grandes que s'accroîtrait le nombre des États membres. Alors que l'adhésion de la Grande-Bretagne avait fait l'objet durant des années de discussions et que celle de l'Espagne avait suscité des polémiques en France et en Italie, en 2004 ce furent dix nouveaux États qui furent admis d'un seul coup. Cet élargissement soudain laissait croire à un renforcement de puissance, mais à Bruxelles l'augmentation du nombre des commissaires européens (chaque nouvel État membre voulant en nommer un) a alourdi l'administration européenne. De surcroît, celle-ci est sous la présidence tournante d'un des chefs de gouvernement, celui-ci changeant tous les six mois, sans avoir nécessairement le souci de continuer la politique de son prédécesseur. Pour avoir un véritable président et un véritable ministre des Affaires étrangères capables de représenter l'Union européenne dans les institutions internationales et d'impulser vraiment une politique commune, il fallait jeter les bases d'une véritable Union européenne.

Pour cela, il eût fallu que les vingt-cinq nations en approuvent les règles de fonctionnement, c'est-à-dire une sorte de constitution commune. Un traité constitutionnel européen fut élaboré en

Chronologie de la construction européenne

1957

La Communauté économique européenne, ou CEE (dite aussi « Marché commun » ou « Europe des Six »), est fondée à Rome entre l'Allemagne, la France, l'Italie, la Belgique, les Pays-Bas et le Luxembourg.

1973

Le Danemark, la Grande-Bretagne et l'Irlande intègrent la CEE.

1981

La Grèce devient membre de la CEE.

1985

La France, l'Allemagne, la Belgique, les Pays-Bas et le Luxembourg signent les « accords de Schengen », qui instituent entre ces États la libre circulation des personnes et la suppression des contrôles aux frontières.

1986

L'Espagne et le Portugal intègrent à leur tour la CEE. Soit douze États qui adoptent « l'Acte unique européen » prévoyant une coopération politique européenne.

1992

Signature entre les membres de la CEE du traité de Maastricht qui fonde l'Union européenne et prévoit une monnaie unique et une politique commune.

1995

L'Autriche, la Finlande et la Suède intègrent l'Union européenne.
Les États membres, à l'exception de la Grande-Bretagne et de l'Irlande, signent les « accords de Schengen » ; c'est maintenant sur les frontières extérieures de l'Union et dans les aéroports que sont effectués les contrôles de police.

2002

Mise en circulation de la monnaie européenne commune, l'euro, en France, en Allemagne, en Italie, en Belgique, aux Pays-Bas, au Luxembourg, en Espagne, au Portugal, en Autriche, en Irlande et en Grèce.

2004

Entrée dans l'Union de dix nouveaux membres : Chypre, Estonie, Hongrie, Lettonie, Lituanie, Malte, Pologne, République tchèque, Slovaquie, Slovénie.

2005

Rejet de la Constitution européenne en France et aux Pays-Bas.

2007

Entrée dans l'Union européenne de la Bulgarie et de la Roumanie.

2005. Après avoir été approuvé par les députés d'un certain nombre de parlements nationaux (Allemagne, Italie), il a été rejeté en France et aux Pays-Bas, où la procédure a été celle du référendum. Il en aurait été de même en Grande-Bretagne. D'une façon générale, les opinions publiques n'approuvent pas l'élargissement démesuré de l'Union européenne. Pour qu'elles prennent véritablement conscience de la nécessité d'une politique européenne et d'une armée communes, il faudrait sans doute qu'elles mesurent la gravité d'une menace extérieure. ■

Les 27 en chiffres

ALLEMAGNE *

Superficie : 357 000 km²

Population : 82,7 millions d'habitants

PNB : 2 085,5 milliards de dollars

Nombre de députés : 99

AUTRICHE *

Superficie : 84 000 km²

Population : 8,1 millions d'habitants

PNB : 217 milliards de dollars

Nombre de députés : 18

BELGIQUE *

Superficie : 30 500 km²

Population : 10,3 millions d'habitants

PNB : 267 milliards de dollars

Nombre de députés : 24

BULGARIE

Superficie : 111 000 km²

Population : 7,8 millions d'habitants

PNB : 16 milliards de dollars

Nombre de députés : 18

CHYPRE

Superficie : 9 250 km²

Population : 790 000 d'habitants

PNB (chiffre 2001) : 9,4 milliards de dollars

Nombre de députés : 6

DANEMARK

Superficie : 430 00 km²

Population : 5,3 millions d'habitants

PNB : 181 milliards de dollars

Nombre de députés : 14

ESPAGNE *

Superficie : 506 000 km²

Population : 43 millions d'habitants

PNB : 700 milliards de dollars

Nombre de députés : 54

ESTONIE

Superficie : 45 000 km²

Population : 1,4 millions d'habitants

PNB : 7,3 milliards de dollars

Nombre de députés : 6

FINLANDE *

Superficie : 338 000 km²

Population : 5,2 millions d'habitants

PNB : 141 milliards de dollars

Nombre de députés : 14

FRANCE *

Superficie : 551 500 km²

Population : 62,3 millions d'habitants

PNB : 1 522 milliards de dollars

Nombre de députés : 78

GRANDE-BRETAGNE *

Superficie : 243 000 km²

Population : 59,7 millions d'habitants

PNB : 1 680 milliards de dollars

Nombre de députés : 78

GRÈCE *

Superficie : 132 000 km²

Population : 10,9 millions d'habitants

PNB : 146 milliards de dollars

Nombre de députés : 24

HONGRIE

Superficie : 93 000 km²

Population : 9,9 millions d'habitants

PNB : 64 milliards de dollars

Nombre de députés : 24

IRLANDE *

Superficie : 70 000 km²

Population : 3,8 millions d'habitants

PNB : 108 milliards de dollars

Nombre de députés : 13

ITALIE *

Superficie : 301 000 km²

Population : 58 millions d'habitants

PNB : 1 243 milliards de dollars

Nombre de députés : 78

LETTONIE

Superficie : 64 000 km²

Population : 2,4 millions d'habitants

PNB : 10,2 milliards de dollars

Nombre de députés : 9

LITUANIE

Superficie : 65 000 km²

Population : 3,7 millions d'habitants

PNB : 15,6 milliards de dollars

Nombre de députés : 13

LUXEMBOURG *

Superficie : 2586 km²

Population : 442 000 d'habitants

PNB : 20,5 milliards de dollars

Nombre de députés : 6

MALTE

Superficie : 316 km²

Population : 392 000 habitants

PNB : 4,3 milliards de dollars

Nombre de députés : 5

PAYS-BAS *

Superficie : 34 000 km²

Population : 16 millions d'habitants

PNB : 426 milliards de dollars

Nombre de députés : 27

POLOGNE

Superficie : 313 000 km²

Population : 38,6 millions d'habitants

PNB : 202 milliards de dollars

Nombre de députés : 54

PORTUGAL *

Superficie : 92 000 km²

Population : 10,4 millions d'habitants

PNB : 123 milliards de dollars

Nombre de députés : 24

RÉPUBLIQUE TCHÈQUE

Superficie : 79 000 km²

Population : 10,3 millions d'habitants

PNB : 73 milliards de dollars

Nombre de députés : 24

ROUMANIE

Superficie : 237 000 km²

Population : 22,4 millions d'habitants

PNB : 52 milliards de dollars

Nombre de députés : 35

SLOVAQUIE

Superficie : 49 000 km²

Population : 5,4 millions d'habitants

PNB : 26,6 milliards de dollars

Nombre de députés : 14

SLOVÉNIE

Superficie : 20 200 km²

Population : 2 millions d'habitants

PNB : 23,8 milliards de dollars

Nombre de députés : 7

SUÈDE

Superficie : 450 000 km²

Population : 8,9 millions d'habitants

PNB : 259 milliards de dollars

Nombre de députés : 19

* pays ayant adopté l'euro

Légende de la carte :
- Union européenne
- États candidats à l'UE en 2003
- ⓔ États ayant refusé l'euro
- États ayant signé la convention de Schengen
- États désirant rejoindre la zone euro et l'espace Schengen
- États associés à l'espace Schengen
- Gouvernements ayant appuyé et/ou participé à la coalition militaire en Irak en 2003

↗ Le cas de Kaliningrad.

Annexée par les Soviétiques en 1945, la ville allemande de Königsberg, rebaptisée alors Kaliningrad, pose à l'Union européenne un délicat problème géopolitique. Cette enclave russe, séparée du reste de la Russie par la Lituanie et la Pologne, inquiète les Européens qui craignent un afflux d'immigrés russes qui profiteraient de leur droit de transit à travers la Lituanie, pays membre de l'UE pour pénétrer à l'intérieur de celle-ci.

45

La France : quels problèmes géopolitiques ?

La géopolitique ne se limite pas aux rivalités entre les États ; elle prend aussi en compte d'autres sortes de rivalités territoriales, notamment au sein d'un même État, entre le pouvoir central (gouvernement et Assemblée nationale) et des pouvoirs régionaux. S'étant rendu compte que l'excessive centralisation des activités politiques sur la capitale limitait les activités des grandes villes de province, c'est au profit de ces dernières que les dirigeants de l'État ont favorisé la décentralisation.

Sans perdre de leurs prérogatives, les 90 départements, qui datent de 1790, ont été regroupés en 22 régions, chacune étant dirigée par une assemblée régionale, élue de nos jours au suffrage universel.

Les mouvements régionalistes

Le développement de la démocratie et de la liberté d'expression a entraîné celui de mouvements intellectuels qui ont voulu empêcher la disparition des langues régionales, comme le breton ou le corse. C'est au XIXe siècle que s'est effectuée, grâce à l'école primaire, la diffusion de la langue française dans l'ensemble de la

Région à forte identité culturelle où l'on parle une autre langue que le français

↗ **Les 22 régions françaises.** Souhaitant remédier à une centralisation excessive et sous l'influence de ses voisins européens, la France, surtout depuis 1982, cherche à se décentraliser au travers 22 régions. Celles-ci regroupent un plus ou moins grand nombre de départements (deux pour l'Alsace ou le Nord-Pas-de-Calais, huit pour l'Île-de-France ou pour Rhône-Alpes) et sont loin de pouvoir rivaliser avec les pouvoirs des Länder allemands ou des « autonomies espagnoles ». L'élection au suffrage universel des conseils régionaux (1982) n'a pas marqué le déclin des conseils généraux de départements dont les pouvoirs sont plus grands qu'ils n'ont jamais été.

La France en chiffres

Superficie (en km²)	551 500
Population (1)	62 370 800
Densité	113
Taux de natalité (pour 1 000 habitants) [2]	12,5
Taux de mortalité (pour 1 000 habitants) [2]	9,4
Taux d'accroissement naturel (en % de la population totale) [2]	0,41
Produit national brut (en milliards de dollars) [2]	1 521,6
PNB/hab. en parité de pouvoir d'achat (2)	27 640
Structure du produit intérieur brut : part de l'agriculture (3)	2,6
Structure du produit intérieur brut : part de l'industrie (3)	25,3
Structure du produit intérieur brut : part des services (3)	72,1
Effectifs des forces armées régulières (2)	259 050
Part du budget de la Défense dans le produit intérieur brut (2)	2,02

1 : 2005   2 : 2003   3 : 2002

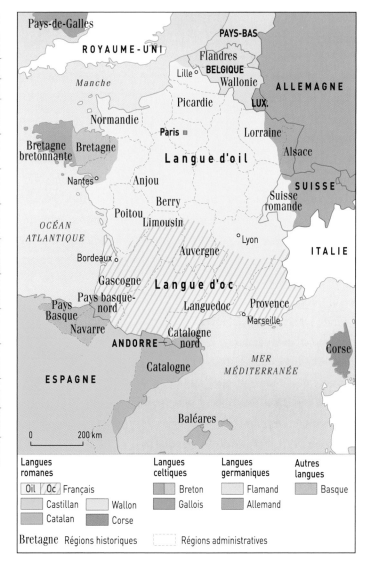

↗ **Les langues en France.**
Telle est la carte que l'on pouvait encore établir à la fin du XIXᵉ siècle, avant le développement des échanges et surtout celui de l'enseignement primaire obligatoire en français (1881). En Alsace, depuis la Seconde Guerre mondiale (marquée par la réquisition des hommes par la Wehrmacht pour aller combattre en Russie), les parlers germaniques ont beaucoup reculé, notamment sous l'influence de la télévision. Les autonomistes ou indépendantistes corses exigent que la langue corse devienne langue officielle dans leur île, bien que la plupart des Corses vivent sur « le continent ». Nombre de Bretons s'efforcent de sauver la langue bretonne de la disparition. Dans les régions méridionales, la langue d'oc et ses divers patois ont presque disparu, mais il en subsiste l'accent.

nation. Le français est parlé depuis très longtemps dans le Bassin parisien et dans les grandes villes de province, mais, dans la plupart des régions périphériques, dans les régions méridionales, on parlait autrefois d'autres langues, notamment l'occitan (la langue d'oc, comme on disait autrefois, langue très proche du catalan, parlé au sud des Pyrénées).

Contrairement à l'Espagne, où de puissants mouvements régionalistes se sont développés dans les régions où l'on ne parlait guère le castillan (langue de l'État et de la majorité des Espagnols), comme en Catalogne ou au Pays basque, dont une grande partie des populations réclame de nos jours l'indépendance (voir p. 64), les mouvements séparatistes n'ont pris, en France, de l'importance qu'en Corse, où les nationalistes manifestent leur revendication par la violence, sans pour autant entraîner la majorité de la population. Quant au Pays basque, le terrorisme qui sévit dans sa partie méridionale se manifeste pour le moment de façon limitée dans sa partie septentrionale.

La place de la France dans le monde

Avec seulement 1 % de la population mondiale, la France ne devrait pas peser lourd dans le monde. Elle est pourtant la sixième ou septième puissance économique mondiale, et le français est la langue officielle dans de nombreux États. Il en est de même pour la Grande-Bretagne, qui compte aussi 1 % de la population mondiale, mais dont la capitale Londres rivalise avec New York comme première place financière mondiale. L'Angleterre et la France ont été aux XVIIIe-XIXe siècles des puissances mondiales. L'une et l'autre ont conquis un immense empire colonial, alors que débutait sur leur territoire la « révolution industrielle ». Les colonies sont devenues indépendantes après la Seconde Guerre mondiale, et c'est avec les pays de l'Union européenne que la France et l'Angleterre entretiennent désormais la majeure partie de leurs relations commerciales.

La France ne se limite pas à ce que l'on appelle son territoire métropolitain. Existent en effet quatre départements français d'outre-mer, issus de l'empire colonial, mais dont la population a de nos jours les mêmes droits que les autres citoyens français. Trois de ces départements sont des îles : la Réunion, dans l'océan Indien, la Martinique et la Guadeloupe aux Antilles. En revanche, la Guyane est en Amérique du Sud, presque sur l'équateur – ce qui fait toute l'importance de la base de Kourou pour les lancements de satellites.

La France, comme les autres pays de l'Union européenne, fait partie de l'OTAN. Toutefois, ses relations d'alliance avec les États-Unis ne sont pas toujours « au beau

→ **Les zones d'influence de la France.** Ancienne puissance à vocation mondiale, la France conserve une certaine influence au travers de la francophonie, soit 115 millions de francophones auxquels s'ajoutent 60 millions qui parlent occasionnellement le français. Elle exerce également une influence politique et culturelle en Belgique, au Québec, au Maghreb, en Afrique occidentale et au Proche-Orient, mais son terrain d'action privilégié se situe désormais en Europe, notamment au travers du « couple » franco-allemand.

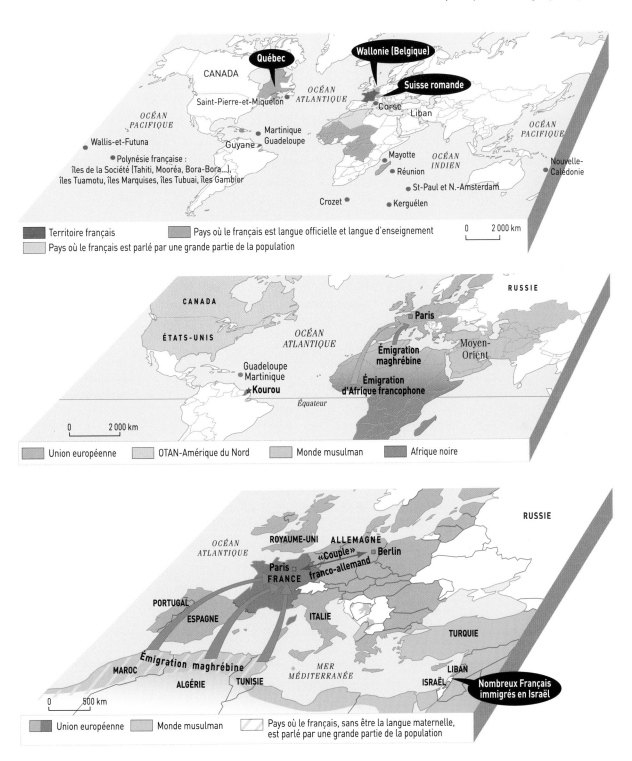

La France : quels problèmes géopolitiques ?

Carte 1

Québec
Wallonie (Belgique)
Suisse romande

CANADA

OCÉAN
ATLANTIQUE

Saint-Pierre-et-Miquelon

OCÉAN
PACIFIQUE

Corse
Liban

OCÉAN
PACIFIQUE

Wallis-et-Futuna

Martinique
Guadeloupe

Guyane

Polynésie française :
îles de la Société (Tahiti, Mooréa, Bora-Bora...),
îles Tuamotu, îles Marquises, îles Tubuai, îles Gambier

Mayotte

OCÉAN
INDIEN

Réunion

Nouvelle-
Calédonie

St-Paul et N.-Amsterdam

Crozet

Kerguélen

0   2 000 km

■ Territoire français   ■ Pays où le français est langue officielle et langue d'enseignement
■ Pays où le français est parlé par une grande partie de la population

Carte 2

CANADA

RUSSIE

ÉTATS-UNIS

OCÉAN
ATLANTIQUE

Paris

Moyen-
Orient

Guadeloupe
Martinique
★ Kourou

Émigration
maghrébine

Émigration
d'Afrique francophone

Équateur

0   2 000 km

■ Union européenne   ■ OTAN-Amérique du Nord   ■ Monde musulman   ■ Afrique noire

Carte 3

RUSSIE

OCÉAN
ATLANTIQUE

ROYAUME-UNI   ALLEMAGNE
« Couple »   Berlin
Paris   franco-allemand
FRANCE

PORTUGAL

ESPAGNE

ITALIE

TURQUIE

Émigration maghrébine

MER
MÉDITERRANÉE

LIBAN

ISRAËL

Nombreux Français
immigrés en Israël

MAROC

ALGÉRIE   TUNISIE

0   500 km

■ Union européenne   ■ Monde musulman   ▨ Pays où le français, sans être la langue maternelle,
est parlé par une grande partie de la population

fixe ». Si le général de Gaulle s'éloigna de l'OTAN en 1966, l'armée française y est discrètement revenue vingt-cinq ans plus tard (c'est, en importance, la troisième force au sein de l'Organisation). La France, qui entretient d'étroites relations avec l'Allemagne, a refusé comme elle, en 2003, de suivre les Américains dans la guerre d'Irak. Mais les forces spéciales françaises participent avec celles de l'OTAN aux opérations contre les terroristes islamistes en Afghanistan.

La France doit cependant tenir le plus grand compte des conflits géopolitiques du Moyen-Orient, qui risquent de se répercuter dans l'ensemble de la Méditerranée. Non seulement la France est pour une grande part un pays méditerranéen, mais 10 % de sa population est originaire des pays du Maghreb, où l'on parle français par héritage colonial. Parmi les six millions d'habitants de culture musulmane, la moitié sont nés en France et sont de nationalité française, leurs parents ayant pour la plupart quitté l'Algérie, bien qu'elle soit devenue indépendante, ou le Maroc, en espérant trouver du travail.

↘ **La Méditerranée occidentale à la fin des années 1930.** Alors que la Libye, possession italienne depuis 1911, est devenue indépendante au lendemain de la Seconde Guerre mondiale, la Tunisie et le Maroc sont encore des protectorats français (et en partie espagnol pour le nord du Maroc) : ils deviendront indépendants en 1956. L'Algérie, dont la conquête demandera de longs combats de 1830 à 1871, est intégrée à la République (à l'exception des territoires du Sud restés sous autorité militaire). Mais les musulmans, bien qu'ils forment 90 % de la population, restèrent « sujets français » (sans droit de vote). Ils deviendront théoriquement citoyens français en 1946, mais pour élire à une « assemblée algérienne », un collège musulman dont le nombre des députés est le même que celui du collège des Européens, dix fois moins nombreux. Cette inégalité, après avoir contribué au mécontentement des musulmans, sera supprimée en 1958, mais trop tard, car la guerre d'indépendance de l'Algérie était déjà commencée depuis quatre ans.

200 km

France et les 3 départements d'Algérie — Territoires du Sud sous régime militaire français
Protectorat français — Protectorat espagnol — Colonie italienne — ↪ Futurs champs pétroliers

↘ **L'immigration maghrébine.** Sur cette carte ont été représentées les principales zones de combat (Kabylie, Aurès) durant la guerre d'Algérie et l'exode, en 1962, d'un million de Français d'Algérie (ceux qui, entre eux, s'appelaient les « pieds-noirs » et que l'on appela en France les « rapatriés », bien que plus de la moitié d'entre eux soit descendants d'Italiens et surtout d'Espagnols). Depuis les indépendances, l'immigration en France d'Algériens (et d'abord de Kabyles), de Marocains (y compris vers la Belgique et les Pays-Bas) et, dans une moindre mesure, de Tunisiens a été considérable. Sur les six millions de musulmans vivant en France, plus de la moitié y sont nés.

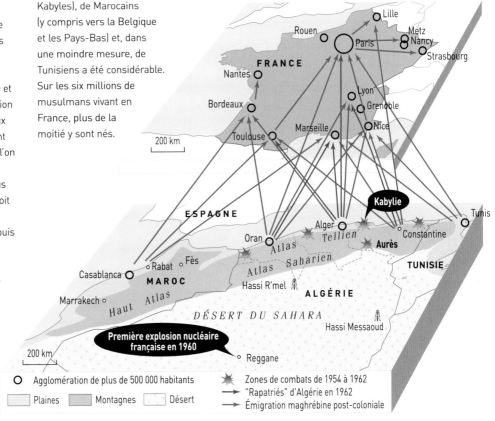

Le problème des banlieues

En novembre 2005, pour la première fois en France, de très graves émeutes se sont déroulées pendant plusieurs jours dans les banlieues de plus d'une centaine de grandes villes françaises, et tout d'abord dans l'agglomération parisienne. C'est en effet dans les banlieues que se concentrent les problèmes les plus difficiles de l'immigration, notamment ceux qui concernent les jeunes de culture musulmane et d'origine africaine. Bon nombre d'entre eux sont au chômage et sont plus ou moins victimes de discrimination. La situation serait moins préoccupante si ces jeunes et leurs familles n'étaient pas concentrés dans certains quartiers de banlieue, là où se trouvent de grands groupes d'immeubles HLM. Les Français, qui habitèrent d'abord ces constructions il y a une quarantaine d'années, furent progressivement remplacés par des familles immigrées lorsque les organismes d'HLM durent réserver ces appartements bon

51

marché aux familles ayant de nombreux enfants. Rapidement, ces grands ensembles de logements devinrent des lieux de concentration des immigrés maghrébins, puis africains. Tant que leurs enfants furent en bas âge, il n'y eut dans ces quartiers guère de problèmes, mais les tensions apparurent avec les effets du chômage, de la délinquance et la formation de « bandes » rivales, qui commencèrent à s'opposer aux interventions de la police et même des pompiers. Ces banlieues posent

désormais de graves problèmes géopolitiques. Les organisations musulmanes qui prêchent le respect de l'ordre public sont favorables à la concentration de leurs fidèles dans ces quartiers, ne serait-ce que pour qu'ils puissent avoir accès aux lieux collectifs, souvent transformés en mosquées. Mais la situation risque de s'aggraver si parviennent à s'y implanter les réseaux islamistes qui mènent le djihad (la guerre sainte) contre l'Occident et la France en particulier. ∎

→ **Interventions et forces militaires françaises à l'étranger.** Près de 35 000 militaires français étaient déployés hors du territoire métropolitain en 2005. Ils le sont soit dans le cadre de missions de l'ONU, soit dans le cadre de l'OTAN, de l'Union européenne ou soit dans celui d'accords bilatéraux prolongés, le cas échéant, par un mandat de l'ONU (comme c'est le cas en Côte d'Ivoire). Les principales bases outre-mer sont situées soit dans les DOM-TOM (Antilles, Guyane, Nouvelle-Calédonie, Réunion, Polynésie française), soit dans le cadre d'accords bilatéraux (Djibouti, Sénégal).

→ **Les lieux de culte musulman en France.** Il s'agit des mosquées les plus importantes, mais il en existe un grand nombre de plus petites. La plus ancienne (1927) est la grande mosquée de Paris qui fut construite à la mémoire des nombreux musulmans qui combattirent dans l'armée française durant la Première Guerre mondiale. Cette mosquée qui est d'allure marocaine (comme l'avait voulu le Maréchal Lyautey) est gérée par le gouvernement algérien depuis l'indépendance de l'Algérie. La répartition des mosquées en France est à peu près proportionnelle au nombre des musulmans.

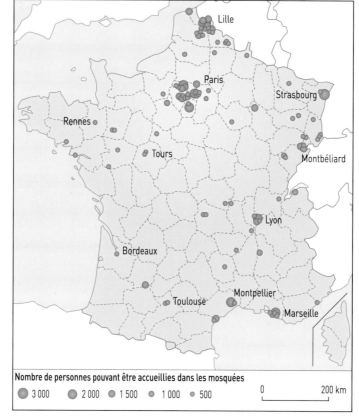

Nombre de personnes pouvant être accueillies dans les mosquées
● 3 000 ● 2 000 ● 1 500 ● 1 000 · 500
0   200 km

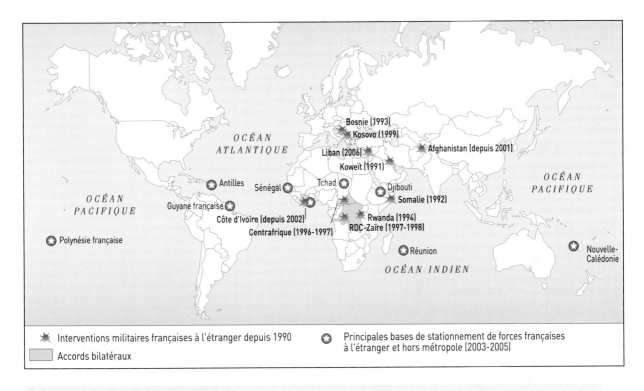

Interventions militaires françaises à l'étranger depuis 1990

Accords bilatéraux

Principales bases de stationnement de forces françaises à l'étranger et hors métropole (2003-2005)

Existe-t-il une « politique arabe » de la France ?

À la fin de la guerre d'Algérie, en 1962, le général de Gaulle jeta les grandes lignes d'une politique de coopération globale de la France avec les pays arabes du pourtour méditerranéen et du Proche-Orient. Cette politique devait s'appuyer sur les anciennes colonies ou protectorats du Maghreb et sur des zones de présence traditionnelle de la France, comme le Liban. Elle passa, en 1967, par une rupture spectaculaire avec Israël, jusque-là considéré comme un partenaire privilégié. Depuis, même si d'aucuns ont nié l'existence d'une « politique arabe » spécifique, les gouvernements français successifs ont maintenu le cap : rapports privilégiés avec les pays du Maghreb (et notamment le gouvernement algérien dans son combat contre les islamistes), soutien à la liberté du Liban sous férule syrienne, soutien affirmé aux Palestiniens et critique de la politique israélienne, et rapports commerciaux constants avec les pays pétroliers du Golfe.

On a reparlé de cette « politique arabe » en 2003, quand la France s'est fortement opposée à l'intervention américaine en Irak. Certains estiment même qu'elle y est « condamnée » du fait de la présence sur son sol d'environ 6 millions de musulmans. D'autres préfèrent envisager cette « politique arabe » dans le cadre européen, comme cela a été le cas lors de la conférence de Barcelone en 1995. Cette conférence prévoyait un renforcement des liens commerciaux, politiques et culturels entre l'UE et les pays du sud de la Méditerranée. Même si, dans les faits, ce vaste projet a été loin de tenir ses promesses (la conférence de 2005, à Barcelone, largement boycottée par les dirigeants musulmans, fut, à cet égard, un fiasco), il n'en demeure pas moins que, pour la France, comme pour l'Espagne, l'Italie ou la Grèce, la politique arabe se posera de plus en plus dans des termes européens et pas seulement nationaux.

L'Allemagne : au centre de l'Union européenne

L'Allemagne est sans aucun doute le pays européen dont l'évolution géopolitique a été la plus mouvementée. Alors que des populations de langue allemande forment depuis des siècles l'essentiel du peuplement entre les Alpes, la mer du Nord et la mer Baltique, l'unité politique de l'Allemagne a été tardive (1870), car elle était divisée en de nombreux États et principautés. Deux d'entre eux ont joué un rôle majeur : l'Autriche, qui forma un empire de grande taille, et la Prusse, en bordure de la mer Baltique, qui parut longtemps plus modeste. Ce fut pourtant cette dernière qui prit le dessus. Elle fit l'unité des pays de langue allemande, à l'exception de l'Autriche, qui devint une modeste république, après la dislocation de son empire (1918). La Prusse fonda un empire dont l'essor ne fut que brièvement arrêté par sa défaite pendant la Première Guerre mondiale. Son redressement entre les deux guerres fut spectaculaire, grâce à la puissance de son industrie et sous l'effet du fanatisme inculqué par l'idéologie hitlérienne, qui réalisa la réunion (Anschluss) avec l'Autriche. Celle-ci fut de nouveau séparée de l'Allemagne en 1945.

La division de l'Allemagne durant la guerre froide

L'Allemagne fut coupée en deux, sa partie orientale (un tiers environ) devenant sous la férule soviétique la République démo-

L'Allemagne en chiffres

Superficie (en km²)	357 022
Population (1)	82 689 000
Densité	232
Taux de natalité (pour 1 000 habitants) [2]	8,5
Taux de mortalité (pour 1 000 habitants) [2]	10,3
Taux d'accroissement naturel (en % de la population totale) [2]	0,08
Produit national brut (en milliards de dollars) [2]	2 085,5
PNB/hab. en parité de pouvoir d'achat [2]	27 610
Structure du produit intérieur brut : part de l'agriculture [3]	1,2
Structure du produit intérieur brut : part de l'industrie [3]	29,7
Structure du produit intérieur brut : part des services [3]	69,1
Effectifs des forces armées régulières [2]	284 500
Part du budget de la Défense dans le produit intérieur brut [2]	1,15

1 : 2005   2 : 2003   3 : 2002

L'Allemagne au centre de l'Europe

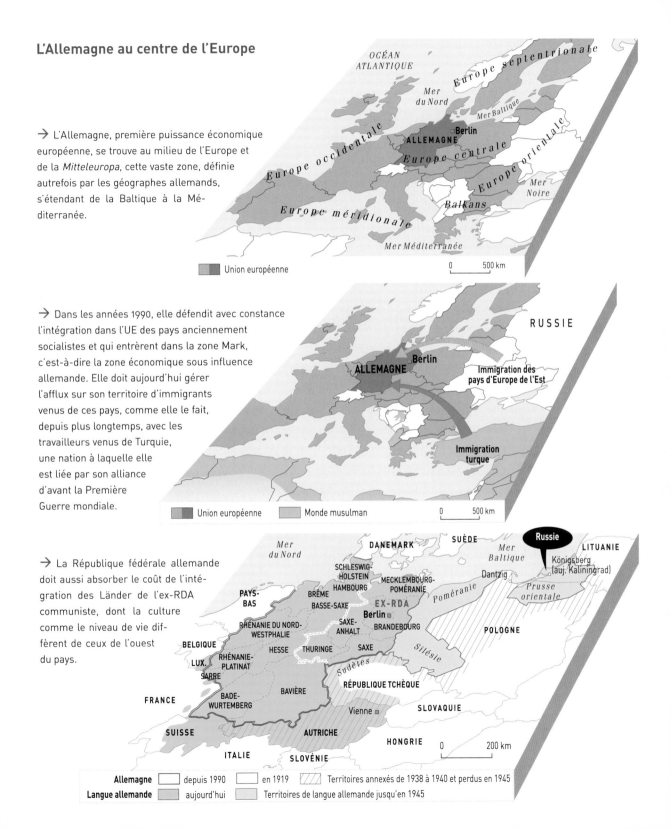

→ L'Allemagne, première puissance économique européenne, se trouve au milieu de l'Europe et de la *Mitteleuropa*, cette vaste zone, définie autrefois par les géographes allemands, s'étendant de la Baltique à la Méditerranée.

OCÉAN ATLANTIQUE

Europe septentrionale

Mer du Nord

Mer Baltique

Europe occidentale

Berlin
ALLEMAGNE

Europe centrale

Europe orientale

Mer Noire

Europe méridionale

Balkans

Mer Méditerranée

Union européenne

0   500 km

→ Dans les années 1990, elle défendit avec constance l'intégration dans l'UE des pays anciennement socialistes et qui entrèrent dans la zone Mark, c'est-à-dire la zone économique sous influence allemande. Elle doit aujourd'hui gérer l'afflux sur son territoire d'immigrants venus de ces pays, comme elle le fait, depuis plus longtemps, avec les travailleurs venus de Turquie, une nation à laquelle elle est liée par son alliance d'avant la Première Guerre mondiale.

RUSSIE

Berlin
ALLEMAGNE

Immigration des pays d'Europe de l'Est

Immigration turque

Union européenne   Monde musulman

0   500 km

→ La République fédérale allemande doit aussi absorber le coût de l'intégration des Länder de l'ex-RDA communiste, dont la culture comme le niveau de vie diffèrent de ceux de l'ouest du pays.

Mer du Nord

DANEMARK   SUÈDE   Mer Baltique   **Russie**   LITUANIE

SCHLESWIG-HOLSTEIN   MECKLEMBOURG-POMÉRANIE   Dantzig   Königsberg (auj. Kaliningrad)

PAYS-BAS   BRÊME   HAMBOURG   Poméranie   Prusse orientale

BASSE-SAXE   **Berlin**   *EX-RDA*   BRANDEBOURG   POLOGNE

RHÉNANIE DU NORD-WESTPHALIE   SAXE-ANHALT   Silésie

BELGIQUE   HESSE   THURINGE   SAXE

LUX.   RHÉNANIE-PLATINAT   Sudètes

SARRE   RÉPUBLIQUE TCHÈQUE

BADE-WURTEMBERG   BAVIÈRE

FRANCE   Vienne   SLOVAQUIE

SUISSE   AUTRICHE   HONGRIE

ITALIE   SLOVÉNIE   0   200 km

Allemagne ☐ depuis 1990 ☐ en 1919 ▨ Territoires annexés de 1938 à 1940 et perdus en 1945
Langue allemande ☐ aujourd'hui ☐ Territoires de langue allemande jusqu'en 1945

→ **L'Allemagne en 1919.** Le projet de la nouvelle unité allemande est réalisé en 1871 par la Prusse, qui crée le IIᵉ Reich, après en avoir écarté l'Autriche. En 1914, le Reich allemand est à son apogée, en plein essor industriel, et sa population est passée de 41 à 68 millions d'habitants en trois décennies. La défaite de 1918 et le traité de Versailles de 1919 mettent à bas ce grand édifice, alors que l'empire d'Autriche-Hongrie est démantelé aux traités de Saint-Germain et de Trianon. L'Alsace et la Lorraine retournent à la France. La création de la Pologne et de la Tchécoslovaquie porte en elle les ferments des conflits à venir : questions de la Prusse orientale (séparée par le « couloir de Dantzig » polonais) et des Tchèques d'ascendance allemande (« Sudètes »).

Allemagne en 1919
Pertes de l'Allemagne   250 km

→ **Le IIIᵉ reich.** En 1938, Hitler proclame la réunion (l'Anschluss) avec l'Autriche, qui est annexée comme les territoires des Sudètes, puis annexe l'Alsace-Lorraine et la Bohême en 1940, tandis que l'Europe occidentale et la Pologne passent sous contrôle allemand.

limites officielles du IIIᵉ Reich en 1941
Anschluss de l'Autriche et des Sudètes
Territoires annexés
Territoires occupés   250 km

cratique allemande (RDA), soumise au système socialiste. Berlin resta cependant à part, divisé en quatre zones d'occupation. Sous contrôle américain, la partie occidentale de l'Allemagne devint une république fédérale (RFA), divisée par les Américains en Länder (« pays »), dont la capitale fut Bonn, petite ville rhénane. Grâce au soutien économique et militaire des États-Unis, à l'efficacité de ses industries et au courage de ses habitants, l'Allemagne de l'Ouest se redressa rapidement, à tel point qu'elle fit bientôt venir de nombreux travailleurs étrangers (notamment de Turquie). Le mark devint une des plus solides monnaies du monde. En 1957, la RFA participa à la fondation du « Marché commun ». En 1963, elle signa un traité d'amitié avec la France. Pendant plus de quarante ans, la confrontation entre l'Ouest et l'Est, la « guerre froide » entre le monde libre et le monde communiste, se joua en Allemagne, coupée en deux par le « rideau de fer », à l'image de Berlin, divisé par le « mur ». Celui-ci fut

renversé par les Berlinois en 1989, sans que l'Union soviétique intervienne.

L'Allemagne réunifiée et les séquelles de la guerre froide

En 1991, l'unité allemande fut rapidement rétablie, la République fédérale ayant brusquement absorbé la RDA, où l'organisation en Länder fut mise en place. Berlin n'est redevenu que progressivement la capitale du pays, même si de nombreux ministères sont encore à Bonn. Cela étant, la réunification de l'Allemagne s'est faite moins vite que prévu, et l'écart économique entre l'Ouest et l'Est est encore très marqué, le chômage restant élevé dans les Länder de l'Est (l'ex-RDA).

L'Allemagne, qui consacre à son armée un budget moins important que l'Angleterre ou la France, envisage surtout son développement à partir de sa position désormais centrale au sein l'Union européenne, qui s'élargit vers l'Est. ∎

La Grande-Bretagne : des relations devenues intangibles avec l'hyperpuissance

Le Royaume-Uni est le nom officiel de cet État que l'on appelle le plus souvent l'Angleterre, du nom du royaume qui, en annexant l'Écosse et le pays de Galles, a réalisé l'unité politique de cette grande île qu'est la Grande-Bretagne. Le nord-est de l'Irlande fait aussi partie du Royaume-Uni. En 1921, les Irlandais catholiques sont devenus indépendants après trois siècles d'oppression exercée par les protestants anglais et écossais. En Ulster, le vieux conflit entre protestants et catholiques semble enfin en voie de règlement. L'Écosse revendique aujourd'hui son indépendance et a récemment récupéré son Parlement, dont elle avait été privée au profit de celui de Londres.

La géopolitique des îles britanniques (Grande-Bretagne et Irlande) est donc assez compliquée.

Les Anglais, grâce à la puissance de leur flotte et avec des auxiliaires irlandais et écossais, ont conquis depuis le XVIIe siècle de très nombreuses colonies, d'abord en Amérique du Nord, puis aux Indes, qui formèrent un énorme empire. La révolte victorieuse de leurs colonies d'Amérique (1783) fut pour les dirigeants anglais une grande leçon, car ils en conclurent qu'en acceptant des concessions et des réformes, ils auraient pu éviter l'indépendance des États-Unis. Aussi le système colonial britannique s'adapta-t-il progressivement au développement des revendications dans les colonies, en reconnaissant à celles-ci une autonomie de plus en plus poussée, voire l'indépendance de fait (le statut de dominion) pour les colonies dont des Européens constituaient l'essentiel du peuplement (Canada, Australie, Nouvelle-Zélande). Cette évolution du système colonial britannique aboutit en 1920 à la formation d'une association d'États, le Commonwealth des nations britanniques, qui existe encore en principe et rassemble toutes les anciennes colonies britanniques.

Quant aux rapports de l'Angleterre avec les États-Unis, déjà particuliers du fait de leur communauté de langue, ils ont subi une transformation profonde durant la Seconde Guerre mondiale, les Américains ayant apporté une aide massive aux Anglais dans la lutte qu'ils menaient seuls depuis deux ans contre l'Allemagne hitlérienne. Cela n'empêcha cependant pas le ressentiment de l'Angleterre lorsque les compagnies pétrolières américaines la supplantèrent en Iran (1950)

La Grande-Bretagne en chiffres

Superficie (en km²)	242 900
Population [1]	59 668 000
Densité	246
Taux de natalité (pour 1 000 habitants) [2]	11,4
Taux de mortalité (pour 1 000 habitants) [2]	10,3
Taux d'accroissement naturel (en % de la population totale) [2]	0,34
Produit national brut (en milliards de dollars) [2]	1 680,1
PNB/hab. en parité de pouvoir d'achat [2]	27 690
Structure du produit intérieur brut : part de l'agriculture [3]	1,0
Structure du produit intérieur brut : part de l'industrie [3]	27
Structure du produit intérieur brut : part des services [3]	72
Effectifs des forces armées régulières [2]	207 630
Part du budget de la Défense dans le produit intérieur brut [2]	2,37

1 : 2005   2 : 2003   3 : 2002

et lorsqu'en 1956 les États-Unis empêchèrent les Britanniques de reprendre le canal de Suez que Nasser venait de nationaliser. Mais les banques et les grandes entreprises britanniques sont de plus en plus liées aux capitaux américains, et la Bourse de Londres, apparemment rivale de Wall Street, gère beaucoup de fonds de pension américains. La Grande-Bretagne empêche en outre que l'Union européenne se constitue comme une puissance autonome par rapport à l'hyperpuissance américaine. En 2003, le gouvernement anglais a pris la tête des États européens (Pologne, Italie) qui se sont engagés derrière les Américains dans la guerre d'Irak.

Les Anglais ont longtemps pensé qu'ils n'étaient pas réellement concernés par le danger du djihad islamiste, les immigrés venus en Grande-Bretagne comptant peu d'Arabes, mais surtout des natifs du Pakistan et du Bangladesh, pays qui, comme l'Union indienne, font partie du Commonwealth. Le statut de ces immigrés est celui de *british citizen* ; aussi ont-ils le droit de vote et de se présenter aux élections municipales. Ces avantages n'ont pas empêché des jeunes musulmans d'origine pakistanaise de se rallier aux islamistes et de perpétrer les attentats du 7 juillet 2005 dans le métro de Londres, qui firent 40 morts et 700 blessés. ∎

Les zones d'influence de la Grande-Bretagne

Territoire du Royaume-Uni   **États membres du Commonwealth**   **Autres pays de langue anglaise**

1. La langue. On peut dire qu'au XIXe siècle, les Anglais, grâce à leur marine, à leurs banques et à leur avance économique, ont réalisé pour leur plus grand profit une première forme de mondialisation des échanges. Celle-ci portait cependant sur des volumes financiers inférieurs à ceux que brasse l'actuelle mondialisation réalisée par les États-Unis auxquels la Grande-Bretagne s'est étroitement associée.

Pays anglophones   **Union européenne**   **Monde musulman**

2. Les États-Unis. La Grande-Bretagne perpétue le souvenir de son immense empire à travers le Commonwealth, association de 53 États, dont la langue anglaise (plus de 600 millions de locuteurs dans le monde) constitue le trait d'union. Si Londres adhère en 1972 à l'Union européenne, son alliance principale demeure celle qu'elle a nouée avec les États-Unis.

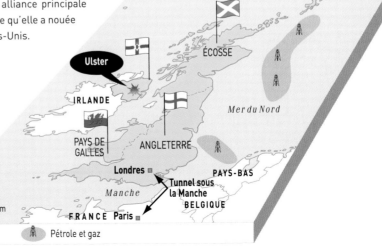

Royaume-Uni   **Pétrole et gaz**

3. Les îles britanniques. Après avoir, entre les deux guerres, résolu dans la douleur le problème irlandais, à l'exception de la province d'Ulster, le Royaume a su régler en douceur ses rapports avec les grandes provinces que sont l'Écosse et le pays de Galles.

→ **Les communautés musulmanes en Grande-Bretagne.** À la différence de la France qui est un vieux pays d'immigration, la Grande-Bretagne a connu au contraire, jusqu'à une époque récente, des siècles d'émigration vers les États-Unis et les colonies de l'Empire britannique. Depuis quelques décennies, la Grande-Bretagne, et surtout l'Angleterre, sont devenues des pays d'immigration en provenance d'ex-colonies britanniques et surtout de l'Union indienne, du Pakistan et du Bangladesh. C'est de ces deux derniers États (et du Moyen-Orient) que viennent la plupart des musulmans (environ 3 millions) qui vivent désormais dans le royaume, plus ou moins regroupés en « communautés » selon les quartiers. Les Britanniques pensaient ne pas avoir trop à craindre des islamistes qu'ils laissaient prêcher le djihad. Les attentats du 7 juillet 2005 ont été, pour eux, un cuisant réveil.

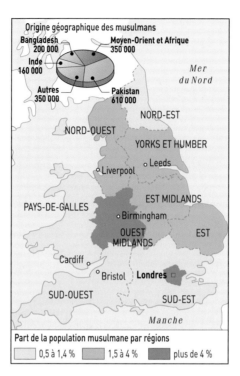

Part de la population musulmane par régions
0,5 à 1,4 %   1,5 à 4 %   plus de 4 %

↓ **Interventions et forces militaires britanniques à l'étranger.** En mettant à part l'Ulster et les îles Malouines (Falkland), qui sont des territoires britanniques, les interventions à l'étranger des forces de Londres s'opèrent soit dans le cadre de l'ONU et de l'OTAN (Bosnie, Kosovo, Afghanistan), soit dans le cadre de liens bilatéraux relayant l'action de l'ONU (Sierra Leone), soit en suivi direct des États-Unis (Irak). Les principales bases militaires à l'étranger se situent soit dans des possessions outre-mer (Gibraltar, îles d'Ascension, Malouines ou de Diego Garcia), soit dans d'anciennes colonies devenues indépendantes (Malte, Chypre) avec leur accord.

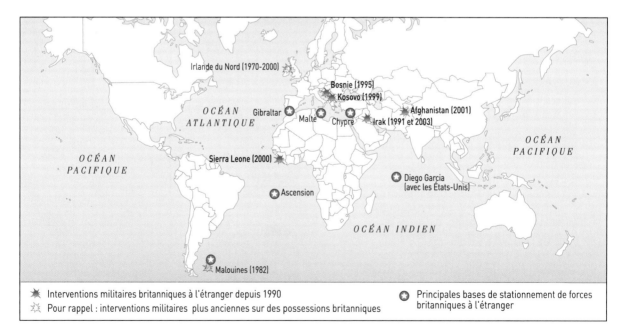

✳ Interventions militaires britanniques à l'étranger depuis 1990
✴ Pour rappel : interventions militaires plus anciennes sur des possessions britanniques
✪ Principales bases de stationnement de forces britanniques à l'étranger

L'Italie, de grands contrastes géopolitiques

Alors que la péninsule italienne forme en apparence un ensemble géographique évident, son unification politique a été relativement tardive (1870). L'Italie a en effet été longtemps divisée en de nombreux petits États, parfois même des villes-États, comme Florence, Venise ou Gênes. Les papes se sont longtemps opposés par tous les moyens à cette unification, car elle aurait fait disparaître leurs « États », qui coupaient en deux la Péninsule. Au sud se trouvait alors un royaume assez archaïque, mais d'assez grande taille, le royaume de Naples, qui comptait aussi la Sicile. Ce ne fut pourtant pas lui qui mena l'unification que souhaitaient de nombreux Italiens, mais un petit royaume de l'Italie du Nord, la Savoie, nommé aussi le Piémont (en raison de sa position au pied des Alpes), qui fit la conquête des possessions papales et du royaume de Naples. Le rôle modernisateur du Piémont (sa capitale était Turin) dans l'unification de l'Italie ressemble un peu à celui de la Prusse dans l'unification de l'Allemagne, à ceci près que les Prussiens agirent seuls contre l'Autriche, alors que les Piémontais

L'Italie en chiffres	
Superficie (en km²)	301 318
Population (1)	58 093 000
Densité	193
Taux de natalité (pour 1 000 habitants) [2]	9,2
Taux de mortalité (pour 1 000 habitants) [2]	10
Taux d'accroissement naturel (en % de la population totale) [2]	0,13
Produit national brut (en milliards de dollars) [2]	1 243,2
PNB/hab. en parité de pouvoir d'achat [2]	26 830
Structure du produit intérieur brut : part de l'agriculture [3]	2,7
Structure du produit intérieur brut : part de l'industrie [3]	28,3
Structure du produit intérieur brut : part des services [3]	69
Effectifs des forces armées régulières [2]	194 000
Part du budget de la Défense dans le produit intérieur brut [2]	1,06

1 : 2005   2 : 2003   3 : 2002

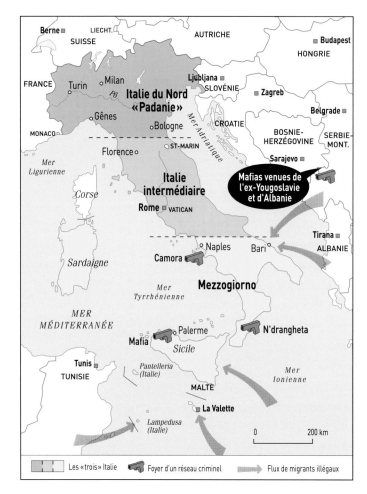

← Les trois Italie. Il est désormais classique de distinguer trois parties dans la péninsule italienne : au nord, dans la plaine du Pô, une Italie industrieuse et prospère ; au sud de Rome, une Italie que l'on a un temps qualifiée de « sous-développée », le Mezzogiorno (le Midi) ; avec la Sicile et la Sardaigne. Alors que l'Italie du Nord a été développée par des bourgeoisies actives, celle du Sud est restée jusqu'à une époque récente sous l'autorité de grands propriétaires, lesquels ne mettaient que très médiocrement en valeur leurs domaines. Après la Seconde Guerre mondiale, une réforme agraire a été décidée, mais sans grand effet. Aussi beaucoup de gens du Sud ont-ils migré en Italie du Nord. Mais ce mouvement migratoire a été considéré comme une sorte « d'invasion » par les gens du Nord. À partir des années 1980 se sont développées dans la plaine du Pô des « ligues » autonomistes d'extrême droite, qui ont lancé le slogan de l'indépendance de la « Padanie » sous prétexte de ne plus financer l'Italie du Sud.

Cette opposition Nord/Sud est cependant trop schématique, et l'on s'est rendu compte qu'il existait aussi une Italie intermédiaire. Elle correspond à la Toscane, fière de sa capitale Florence, à Rome, mais aussi aux anciens « États » du pape. En revanche, c'est en Italie du Sud que le parti néofasciste garde une certaine audience, car Mussolini avait lutté contre l'emprise occulte de la Mafia. Celle-ci n'a pas disparu, bien au contraire, et plusieurs réseaux criminels prospèrent en Italie du Sud : la Mafia sicilienne (en contact avec celle des États-Unis), la N'drangheta en Calabre, la Camorra à Naples, et une nouvelle mafia dans les Pouilles, sur la côte adriatique, en contact étroit avec les mafias d'Albanie et de l'ex-Yougoslavie, spécialisées dans les trafics d'armes et de drogues. C'est aussi par l'Italie du Sud que s'effectue une grande partie de l'immigration clandestine dans l'Union européenne.

eurent en 1859 l'appui des Français contre les Autrichiens pour les chasser de la plaine du Pô. Rome ne devint capitale qu'en 1871. Le royaume d'Italie se maintint théoriquement jusqu'en 1945, bien que, dès 1925, le régime fasciste de Mussolini se fût substitué à lui. Devenue l'alliée de Hitler, l'Italie sombra dans le second conflit mondial. Elle devint république en 1946 ∎

L'Espagne, face aux dangers séparatistes

L'Espagne connaît des problèmes géopolitiques originaux et difficiles : au sein de l'Union européenne, c'est le seul État où se manifestent autant les revendications de mouvements nationalistes différents. Les nationalistes basques, catalans et galiciens, qui se réclament tous d'une langue spécifique, veulent se libérer de la domination de l'État espagnol, dont la langue est le castillan. Déjà, au temps de la République espagnole (1931-1939), qui avait succédé à une vieille monarchie, les mouvements séparatistes basques et catalans avaient suscité l'opposition des nationalistes (les partis de droite et une grande partie de l'armée). Cela conduisit à une terrible guerre civile (1936-1939) et à la dictature du général Franco. Après la mort de celui-ci (1975), les conseillers du jeune roi Juan Carlos, afin de rétablir la monarchie au nom de la démocratie, proposèrent une constitution qui reconnaissait l'autonomie de toutes les provinces espagnoles, ce qui permettait d'accorder à la Catalogne et au Pays basque une autonomie relativement poussée, comme l'avait fait la République espagnole avant la

L'Espagne en chiffres

Superficie (en km²)	505 992
Population [1]	43 064 000
Densité	85
Taux de natalité (pour 1 000 habitants) [2]	10,4
Taux de mortalité (pour 1 000 habitants) [2]	8,8
Taux d'accroissement naturel (en % de la population totale) [2]	1,12
Produit national brut (en milliards de dollars) [2]	700,5
PNB/hab. en parité de pouvoir d'achat [2]	22 150
Structure du produit intérieur brut : part de l'agriculture [3]	3,4
Structure du produit intérieur brut : part de l'industrie [3]	29,7
Structure du produit intérieur brut : part des services [3]	66,9
Effectifs des forces armées régulières [2]	150 700
Part du budget de la Défense dans le produit intérieur brut [2]	0,84

1 : 2005   2 : 2003   3 : 2002

La péninsule ibérique, l'Amérique et l'Europe.

1. Les bassins langagier. Avec une aire linguistique de plus de 500 millions de personnes (330 millions d'hispanophones et 180 millions de lusophones), l'Espagne et le Portugal exercent une influence réelle en Afrique et dans les Amériques.

	Territoire espagnol	Pays hispanophones	20 % d'hispanophones
	Territoire portugais	Pays lusophones	

2. L'entrée dans l'Europe (1986). Intégrée comme le Portugal dans l'UE depuis 1986, l'Espagne est une des portes d'entrée en Europe de l'immigration clandestine en provenance du Maghreb, de l'Afrique subsaharienne, mais aussi d'Amérique latine.

Union européenne   Monde musulman   0   500 km

3. Les 16 communautés autonomes. Depuis la fin du franquisme en 1975, l'Espagne a mis en œuvre une politique volontariste de décentralisation et d'autonomie des provinces, même si demeurent non résolus aujourd'hui les problèmes basque et, dans une moindre mesure, catalan.

Portugal   Espagne   Autonomies à fort parti indépendantiste   Ancien Maroc espagnol

guerre civile. Cette constitution fut largement approuvée par référendum en 1978, et notamment par les partis de gauche, sauf au Pays basque, où l'indépendance immédiate fut exigée par une organisation clandestine ultranationaliste, l'ETA. Pour parvenir à ses fins, elle développa la campagne d'attentats terroristes qu'elle avait commencée sous Franco.

L'Espagne est donc constituée de seize « Autonomies », c'est-à-dire de seize provinces qui sont chacune plus ou moins autonomes, selon les desiderata de leurs assemblées, les prérogatives de celles-ci étant si l'on peut dire « à géométrie variable ». La Catalogne et le Pays basque sont celles qui, quoique ayant déjà poussé leur autonomie au maximum, revendiquent encore plus, pratiquement l'indépendance. Le gouvernement de Madrid s'efforce, mais en vain, de convaincre l'ETA de renoncer au terrorisme. Sous le couvert d'imposer la langue basque, le Parti nationaliste basque (que l'on ne doit pas confondre avec l'ETA), qui exerce le pouvoir, veut faire partir de la province les nombreux Espagnols venus il y a des décennies travailler dans les industries. En Catalogne, la langue catalane (pas très différente du castillan) est imposée pour « catalaniser » les nombreux immigrés venus d'Andalousie et de plus en plus d'Amérique latine. Dans le sud de l'Espagne, l'Andalousie, qui est la plus vaste des provinces espagnoles, connaît une évolution singulière vers une autonomie de plus en plus affirmée. On y parle pourtant castillan ; aussi les autonomistes andalous n'ont donc pas l'argument qu'ont les Catalans ou les Basques de libérer leur propre langue. Mais on développe, surtout dans les milieux intellectuels, une sorte de nostalgie admirative de ce qu'a été l'Andalousie arabe, Al Andalus, dont subsistent des monuments admirables (la mosquée de Cordou, l'Alhambra de Grenade) et où musulmans, chrétiens et juifs étaient censés coopérer. Ce prétendu œcuménisme culturel est en Europe dans l'air du temps, et ces idées sont propagées par ceux qui profitent de la présence des émirs du Moyen-Orient en vacances sur la côte andalouse. Dans une Espagne où l'Andalousie se proclame la championne d'une culture euro-arabe ont afflué, depuis un Maroc très proche, de nombreux Marocains. Al-Qaida a recruté parmi eux les auteurs des terribles attentats du 11 mars 2004 dans les trains de banlieue de Madrid, qui ont fait 200 morts et 2 000 blessés. ∎

L'Amérique latine, la relance d'un projet d'unité ?

Du Mexique à la pointe sud du continent américain, on parle l'espagnol dans un grand nombre d'États, ou le portugais, comme au Brésil. Il s'agit de langues latines. L'expression « Amérique latine » est employée pour marquer l'unité culturelle de ces pays et leur différence avec l'Amérique du Nord, où la langue anglaise a un rôle prépondérant. Il y a cependant un grand contraste entre les très nombreux pays hispaniques et l'immense Brésil. Tous ces États ont certes un peu une même origine historique : la conquête coloniale, au XVIe siècle. Quatre siècles plus tard, les Portugais ont conservé leur empire, ils l'ont même largement étendu vers l'ouest. En revanche, l'empire espagnol d'Amérique s'est disloqué en un grand nombre d'États. Ceux-ci résultent d'une grande révolte des colons qui voulaient devenir indépendants de l'Espagne. Simon Bolivar, l'un des grands leaders de cette révolte, voulait que se constituent des États-Unis du Sud, mais les militaires qui avaient combattu l'Espagne se battirent bientôt entre eux pour

l'Amérique hispanique en chiffres

ARGENTINE
Superficie : 2 780 000 km²

Population : 36 millions d'habitants

PNB : 140 milliards de dollars

COLOMBIE
Superficie : 1 140 000 km²

Population : 43,8 millions d'habitants

PNB : 81 milliards de dollars

MEXIQUE
Superficie : 1 970 000 km²

Population : 100,4 millions d'habitants

PNB : 637 milliards de dollars

BOLIVIE
Superficie : 1 100 000 km²

Population : 8,5 millions d'habitants

PNB : 7,9 milliards de dollars

CUBA
Superficie : 111 000 km²

Population : 11,2 millions d'habitants

PNB : 15 milliards de dollars

PÉROU
Superficie : 1 285 000 km²

Population : 26,1 millions d'habitants

PNB : 58 milliards de dollars

CHILI
Superficie : 757 000 km²

Population : 15,4 millions d'habitants

PNB : 69 milliards de dollars

ÉQUATEUR
Superficie : 270 670 km²

Population : 12,9 millions d'habitants

PNB : 23,8 milliards de dollars

VENEZUELA
Superficie : 912 000 km²

Population : 24,6 millions d'habitants

PNB : 90 milliards de dollars

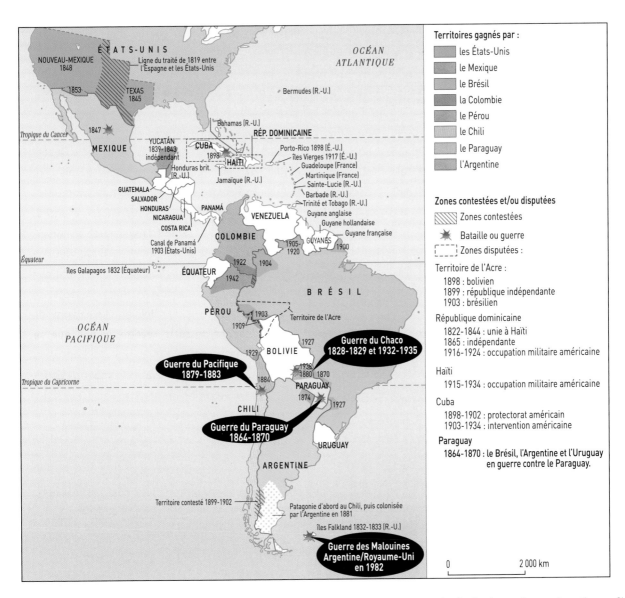

↗ Les indépendances sud-américaines. Après l'échec du rêve de Simon Bolívar (mort en 1830) d'une unité de l'Amérique du Sud, l'Amérique latine s'est morcelée en de très nombreux États aux structures politiques fragiles. Cela a longtemps provoqué une instabilité politique chronique. Les guerres se sont multipliées entre États voisins (notamment en Amérique centrale), ce qui a entraîné de fréquents changements de frontières, au profit des États les plus solides (Chili, Pérou et, surtout, Brésil). La Grande-Bretagne a profité de cette situation de faiblesse pour imposer sa domination économique en Argentine, au Chili et en Uruguay. Les États-Unis, après leur intervention dans la guerre de Cuba (1898), feront peu à peu de la Méditerranée américaine, puis de l'ensemble de l'Amérique latine, ce que les diplomates américains appellent leur « arrière-cour » (backyard).

avoir chacun leur État. Se formèrent donc toute une série de nouvelles républiques, mais guère démocratiques car le pouvoir resta aux mains des grands propriétaires. Bolivar mourut désespéré en 1830.

Mais le bolivarisme, c'est-à-dire le projet de refaire l'unité de l'Amérique hispanique, est de nos jours de nouveau évoqué dans de nombreux pays latino-américains, où la plus grande partie de l'opinion considère que les *Gringos* (les Américains du Nord) exploitent les richesses de l'Amérique latine, laquelle, sans cette domination, serait aussi riche que le Nord. Certes, les Américains du Nord se sont emparés au milieu du XIXᵉ siècle de plus de la moitié du Mexique et, en 1898, ont imposé leur hégémonie à Cuba et à Porto Rico.

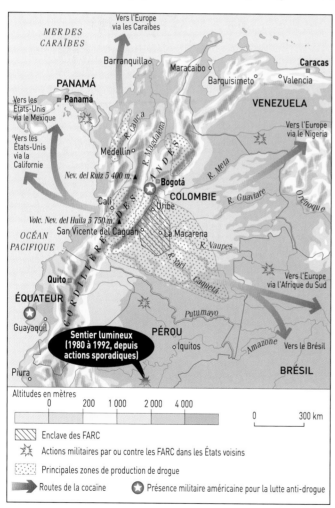

↙ **La poudrière colombienne.** Pays le plus peuplé d'Amérique du Sud après le Brésil, la Colombie dispose d'une économie relativement prospère : pierres précieuses, pétrole, nickel, fleurs et, surtout, cocaïne, produite à partir de la culture traditionnelle des feuilles de coca qui viennent aussi du Pérou et de Bolivie. La Colombie est aussi le territoire où se combinent toutes les violences latino-américaines. Violences politiques entre deux grands partis qui remontent au XIXᵉ siècle et qui se sont déchaînées entre 1947 et 1957, violences entre trafiquants de drogue, dont le pays est le principal exportateur clandestin. Ceci entraîne l'intervention des États-Unis (présence sur place de militaires américains, aide financière), qui tentent d'arrêter à la source les entrées de drogue sur leur territoire. Ces différentes formes de violence entrent ainsi en interaction : trafiquants de drogue, guérillas qui trafiquent à leur propre compte et contre-guérillas anticommunistes, les « paramilitaires », qui font de même. Les deux principaux mouvements de guérillas « révolutionnaires » sont les FARC (Forces armées révolutionnaires de Colombie) qui sont aussi spécialisées dans les lucratifs enlèvements d'otages et, à un moindre degré, l'ELN (Armée de libération nationale). En quatre décennies, les combats ont fait près de 25 000 victimes et provoqué le déplacement de plusieurs millions de personnes.

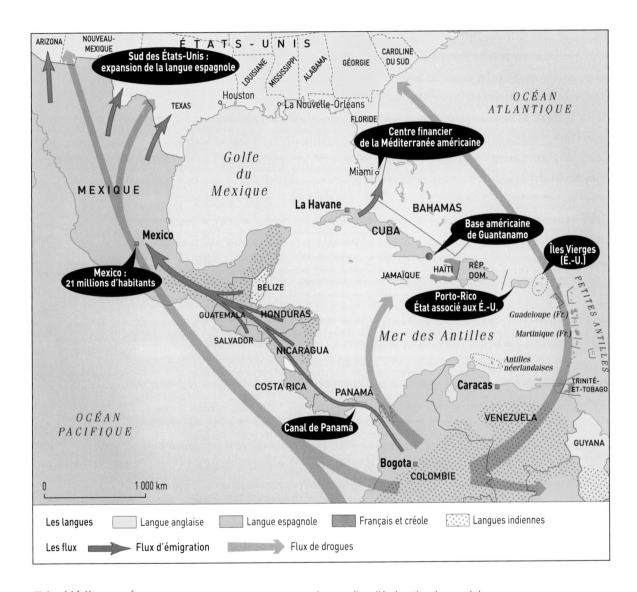

Les langues — Langue anglaise — Langue espagnole — Français et créole — Langues indiennes

Les flux — Flux d'émigration — Flux de drogues

↗ **La Méditerranée américaine.** Avec 4 000 kilomètres du nord-ouest au sud-ouest, ce que l'on appelle la « Méditerranée américaine » relève du même ordre de grandeur que la Méditerranée euro arabe.

L'une et l'autre sont entourées de nombreux États et sont traversées par la limite Nord/Sud entre pays du tiers-monde et pays développés, représentés ici par les États-Unis. L'une et l'autre sont marquées par d'importants

flux d'émigration. Le canal de Panama est souvent comparé au canal de Suez, mais ce dernier a un trafic bien plus important, à cause des flux pétroliers en provenance de la mer Rouge.

Durant la guerre froide, les services secrets américains ont soutenu dans de nombreux pays, et notamment au Brésil, des coups d'État militaires pour s'opposer à des tentatives communistes. Celles-ci furent vaincues ou bloquées, sauf à Cuba, où Fidel Castro l'emporta grâce au soutien de l'URSS, ce qui faillit déclencher en 1962 une guerre mondiale, les Soviétiques ayant installé sur l'île des fusées menaçant directement les États-Unis. Cuba est toujours en principe un État socialiste, mais il végète, car l'URSS, qui en était le soutien, n'existe plus. Des guérillas communistes se sont implantées dans les montagnes andines, au Pérou, en Équateur, en Colombie, qui, pour se financer, se sont lancées dans le trafic de cocaïne en faisant alliance avec de gros trafiquants qui exportent la drogue aux États-Unis et en Europe. En Colombie, les FARC se maintiennent contre l'armée en multipliant les prises d'otages.

Dans l'ensemble de l'Amérique latine, les idées communistes ont perdu leur prestige. De nos jours, des discours *populistes*, prononcés par des leaders qui prétendent parler au nom du peuple, s'y sont substitués. C'est le cas au Venezuela, où le président Hugo Chavez dénonce l'impérialisme américain et se proclame successeur de Bolivar. Porté par la hausse des prix du pétrole dont son pays est grand exportateur vers les États-Unis, Chavez se veut le nouveau protecteur de Cuba et celui des leaders populistes qui ont été élus récemment dans divers pays d'Amérique du Sud.

Le Brésil, un nouveau « grand en puissance »

Avec 8,5 millions de km^2 et 200 millions d'habitants, le Brésil est l'un des plus vastes États du monde. Il s'agit d'un État fédéral, formé de 26 États. Entre ceux-ci, les différences économiques et sociales sont considérables. Les États du Nord-Est se caractérisent par une grande pauvreté.

Dans l'arrière-pays de Rio de Janeiro ou autour de São Paulo, sur de hauts plateaux aux sols riches, les grands domaines d'élevage (pour produire de la viande séchée) se sont transformés au début du XXe siècle en grandes plantations de café. La grande crise économique de 1929, en faisant chuter les exportations de café et en réduisant les importations, a incité de gros propriétaires à investir dans des industries diverses pour produire des produits manufacturés qu'on ne pouvait plus importer. C'est l'origine du grand centre industriel qu'est devenue l'agglomération de São Paulo (18 millions d'habitants). Les militaires, qui, au temps de la guerre froide, ont pris le pouvoir au Brésil, ont voulu faire du pays une grande puissance et, avec l'aide des Américains, ont développé l'industrie. Celle-ci fournit non seulement l'ensemble du Brésil en produits fabriqués et en matériel d'équipement, mais elle en exporte aussi dans le monde entier.

L'intérieur du Brésil est encore sous-peuplé, malgré l'implantation de la capitale dans une ville nouvelle, Brasilia. La grande forêt amazonienne est encore presque vide, et les grands déboisements qui y sont opérés pour de grands domaines d'élevage ont finalement des conséquences négatives. En revanche, dans la zone des savanes, d'immenses étendues sont depuis peu mises en valeur par d'immenses entreprises agricoles, qui sont devenues très productives : sur ce qui était autrefois de maigres pâturages, la culture du soja, grâce aux semences OGM, obtient de très grands rendements, et le Brésil en est devenu le plus grand producteur et exportateur mondial ; de grandes plantations mécanisées de canne à sucre fournissent également une grande partie des carburants utilisés au Brésil ; pour le moment, dans ce si vaste pays, on n'a pas encore découvert de grands gisements de pétrole, malgré les recherches effectuées en Amazonie. L'élection et la réélection à la présidence du Brésil d'un homme de gauche, Lula da Siva, ancien ouvrier syndicaliste, montre les progrès de la démocratie dans cet

↘ **Un État fédéral et une forte unité nationale.** Sur plus de 8,5 millions de km², le Brésil, formé de 26 États, présente trois grandes zones climatiques : l'Amazonie, soumise au climat équatorial, le Nordeste, au climat tropical, et le Sud, au climat subtropical. Du point de vue économique, le contraste est grand aussi entre le Sud, développé, et le Nordeste, encore marqué par le sous-développement. Malgré ces différences, l'unité du pays est demeurée solide.

immense pays qui n'est plus gouverné comme autrefois par une oligarchie de grands propriétaires.

Mais, pour ne pas provoquer leur hostilité, la réforme agraire progresse lentement, alors qu'elle est attendue par les paysans sans terre, qui sont encore très nombreux. Les États-Unis soutiennent aujourd'hui la politique de développement réformiste du Brésil, car c'est pour eux un exemple de grande taille qui permet de contrecarrer la diffusion en Amérique latine des discours soi-disant révolutionnaires de Chavez. Le Brésil, qui était encore considéré il y a vingt ans comme un pays sous-développé, apparaît comme une future très grande puissance.   ■

La Russie, un lourd héritage pour quel avenir?

La Russie en chiffres

Superficie (en km²)	17 075 400
Population (1)	143 202 000
Densité	8
Taux de natalité (pour 1 000 habitants) [2]	10,1
Taux de mortalité (pour 1 000 habitants) [2]	15,3
Taux d'accroissement naturel (en % de la population totale) [2]	- 0,46
Produit national brut (en milliards de dollars) [2]	374,8
PNB/hab. en parité de pouvoir d'achat [2]	8 950
Structure du produit inté part de l'agriculture [3]	5,8
Structure du produit intérieur brut : part de l'industrie [3]	33,8
Structure du produit intérieur brut : part des services [3]	60,4
Effectifs des forces armées régulières [2]	1 212 700
Part du budget de la Défense dans le produit intérieur brut [2]	2,45

1 : 2005   2 : 2003   3 : 2002

La Russie, ou plus précisément la République fédérale de Russie, est le plus vaste État du monde. Elle s'étend d'est en ouest sur plus de 10 000 kilomètres, soit sur une superficie de 17 millions de km², c'est-à-dire presque deux fois celle des États-Unis ou de la Chine. Cette immense Russie formait jusqu'en 1991 la majeure partie d'un État plus vaste encore, l'Union des républiques socialistes soviétiques, qui s'étendait sur 22 millions de km². Or, l'URSS s'est brusquement disloquée en 1991, dans des conditions tout à fait paradoxales. En effet, la Russie (ou du moins ses dirigeants), qui en était la partie prépondérante, ayant jugé bon de prendre son indépendance avec l'accord de la grande majorité des Russes, a en quelque sorte brusquement « laissé tomber » les quatorze autres républiques de l'Union soviétique, sous prétexte qu'elles étaient devenues une trop lourde charge. Pourtant, en 1991, ces républiques soviétiques, telles que l'Ukraine, la Biélorussie, la Géorgie, et même celles majoritairement musulmanes comme le Kazakhstan, l'Azerbaïdjan, l'Ouzbékistan, etc., ne demandaient guère leur indépendance. Cependant les Pays baltes, la Lituanie, la Lettonie et l'Estonie voulaient redevenir, comme durant l'entre-deux-guerres, des États indépendants.

C'est donc un phénomène géopolitique tout à fait extraordinaire que cette dislocation de l'URSS, du fait de la proclamation d'indépendance de la Russie sans

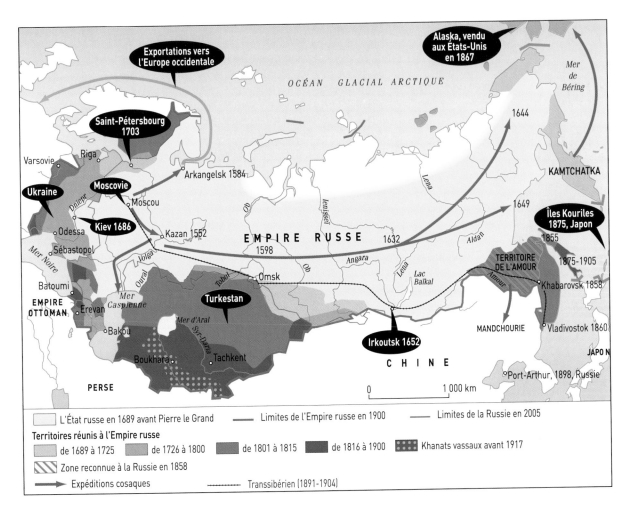

↗ La formation de l'Empire russe.

Continental à l'origine, l'État russe a cherché depuis la fin du XVIe siècle à s'assurer des fenêtres maritimes. L'expansion fut d'abord menée au nord (fondation d'Arkangelsk, sur la mer Blanche, en 1584) puis, vers le sud (accès à la mer Noire par la mer d'Azov, au XVIIe siècle).

À l'ouest, la présence russe est marquée par l'édification de Saint-Pétersbourg sur la Baltique (1703). À l'est, les Russes atteignent le détroit de Béring en 1648, puis la mer du Japon en 1860.
Au cours du XIXe siècle, l'empire étend sa domination à l'ouest et au sud.
Finlande, Bessarabie et Pologne, à l'ouest, Géorgie, Azerbaïdjan, Arménie, au sud. Il s'étend en Asie centrale, en soumettant les populations musulmanes et de langue turque à un gouvernement général du Turkestan. L'empire du tsar après la révolution de 1917 a été remplacé par l'Union soviétique.

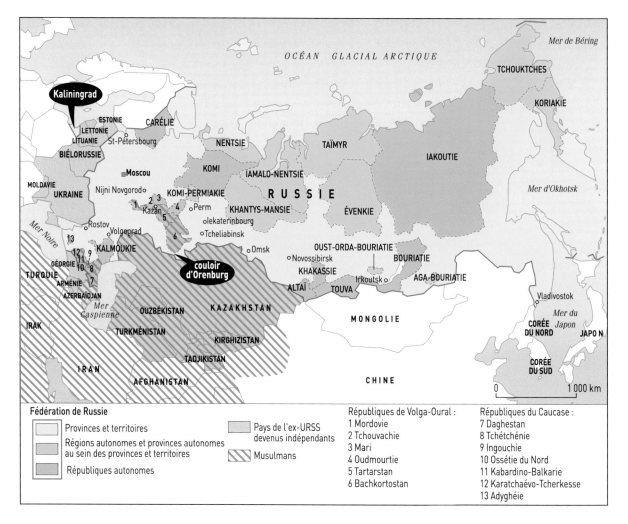

Fédération de Russie

- Provinces et territoires
- Régions autonomes et provinces autonomes au sein des provinces et territoires
- Républiques autonomes
- Pays de l'ex-URSS devenus indépendants
- Musulmans

Républiques de Volga-Oural :
1 Mordovie
2 Tchouvachie
3 Mari
4 Oudmourtie
5 Tartarstan
6 Bachkortostan

Républiques du Caucase :
7 Daghestan
8 Tchétchénie
9 Ingouchie
10 Ossétie du Nord
11 Kabardino-Balkarie
12 Karatchaévo-Tcherkesse
13 Adyghéie

↗ **La Russie postsoviétique.** En 1991, après la dislocation de l'URSS, le président de la République de Russie, Boris Eltsine, proclame l'indépendance de la Russie et incite, non sans démagogie, toutes les républiques autonomes de la Fédération russe à prendre chacune le maximum de pouvoirs et de souveraineté. Aujourd'hui divisée en 7 arrondissements fédéraux, la Fédération de Russie comprend 21 républiques, 49 régions administratives, 6 territoires administratifs, 1 région autonome, 10 arrondissements autonomes et 2 villes autonomes (Moscou et Saint-Pétersbourg). Le système étant fort complexe à gérer, le successeur de Boris Eltsine depuis 2000, Vladimir Poutine, cherche à renforcer l'autorité centrale de Moscou au nom de ce qu'il a appelé la « diagonale du pouvoir ».

que l'appareil dirigeant du parti communiste de l'URSS s'y oppose. Cette indépendance fut même proclamée par le président communiste de la Russie, Boris Eltsine, qui exhorta les autres républiques à prendre elles aussi leur indépendance, ce qu'elles firent en gardant les mêmes dirigeants communistes (sauf dans les Pays baltes).

Quelles sont les causes d'une transformation pareille, qui s'est déroulée brusquement et sans conflit majeur, l'armée et le fameux KGB ne s'y étant pas opposés, le parti communiste lui-même se laissant dissoudre sans faire de difficulté par l'Assemblée du Soviet suprême? Il importe d'essayer de comprendre tout cela pour envisager comment la Russie post-soviétique peut évoluer.

Dans les années 1980, l'URSS n'était plus la deuxième puissance économique mondiale (ce que disaient les statistiques, quand bien même étaient-elles plus ou moins truquées) et elle était d'ores et déjà supplantée par le Japon. La direction du parti communiste entreprit alors une série de réformes économiques pour relancer la croissance, mais en vain, car la gestion bureaucratique était devenue un frein d'autant plus entravant que l'économie devenait plus complexe. Non seulement les prix étaient fixés arbitrairement, sans aucune référence à l'offre et à la demande, puisqu'il n'était pas question d'économie de marché, mais la course aux armements avec les États-Unis entraînait d'énormes dépenses. Sans doute l'économie soviétique aurait-elle pu être progressivement réformée. C'est ce qu'avait entrepris de faire le président de l'URSS Mikhail Gorbatchev,

⤎ « L'Archipel du Goulag ». Sous le régime totalitaire de Staline (mort en 1953).

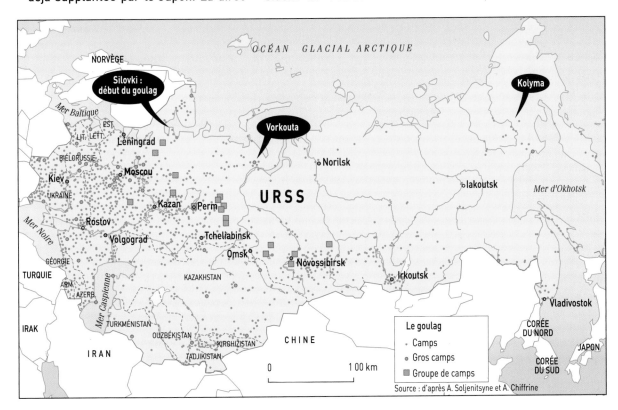

Source : d'après A. Soljenitsyne et A. Chiffrine

d'autant qu'il avait obtenu des États-Unis en 1987 que soit mis fin à la guerre froide entre les deux superpuissances. Mais la société soviétique, prétendument égalitaire, était devenue de plus en plus inégalitaire : les dirigeants politiques ou ceux des services et d'entreprises d'État avaient certes des salaires officiels peu élevés, mais ils bénéficiaient de considérables avantages en nature (villas, automobiles, etc.) et, en outre, profitaient des transactions de plus en plus fréquentes avec des pays étrangers. C'est en ces occasions que les dirigeants des entreprises d'État se rendirent compte que celles-ci pouvaient leur rapporter de gros profits si elles étaient « privatisées ». Pour abolir le système socialiste de propriété collective, qui était en fait celle de l'État soviétique, il fallait tout d'abord provoquer sa faillite économique.

C'est donc une considérable opération géopolitique que réalisèrent nombre de membres influents du parti communiste. Après 1991, ceux-ci d'ailleurs furent les principaux bénéficiaires de la privatisation des entreprises. Sous couvert d'égalité, des titres de propriété furent distribués au personnel des entreprises, mais la plupart des gens revendirent à vil prix ces actions dont ils ne mesuraient pas la valeur, et ce pour le plus grand profit des ex-directeurs communistes, devenus de nouveaux PDG. Cette liquidation de l'économie socialiste, dont les effectifs étaient assez pléthoriques, s'est traduite par l'apparition d'un chômage massif, qui n'existait pas jusqu'alors. De surcroît, la disparition de l'URSS a entraîné la désorganisation de la fameuse Armée rouge, dont les crédits de fonctionnement ont été beaucoup réduits, comme ceux des hôpitaux, de même que les salaires des fonctionnaires et les pensions des retraités. Le niveau de vie moyen, qui était jusqu'alors modeste, s'est effondré, la misère a frappé une grande partie de la population, alors qu'est apparue dans certains quartiers des grandes villes la richesse des profiteurs de la privatisation : ceux ayant mis la main sur les ressources destinées à l'exportation, notamment les compagnies productrices de pétrole et de gaz.

Entre les nouveaux riches, surtout entre les « oligarques » (selon le nom donné aux plus puissants d'entre eux), les rivalités sont féroces, et les assassinats de personnalités, fréquents, les règlements de compte étant exécutés par des tueurs fournis par de puissantes mafias.

Aussi nombre d'oligarques préfèrent-ils gérer leurs affaires depuis l'étranger (depuis Londres ou Israël, notamment), où ils transfèrent leurs capitaux. Cette fuite des capitaux et les achats massifs à l'étranger de produits de luxe dont raffole la nouvelle clientèle aisée ont provoqué

↘ **Les bouleversements géopolitiques à l'ouest de la Russie.** Au lendemain de la Seconde Guerre mondiale, les Soviétiques établirent leur domination sur six États situés à l'ouest : Pologne, Hongrie, Tchécoslovaquie, Bulgarie, Roumanie et, tout à l'ouest, une partie de l'Allemagne. Ces États, qualifiés de « démocraties populaires », étaient dirigés par un parti communiste. En 1989, ces partis se sont effondrés. Aujourd'hui, tous ces pays, devenus indépendants, font partie de l'OTAN et de l'Union européenne. En 1991, lorsque l'URSS s'est disloquée, six républiques soviétiques sont devenues indépendantes, et trois d'entre elles, les Pays baltes, font partie maintenant de l'OTAN et de l'Union européenne. En revanche, tout en étant indépendantes, la Biélorussie, l'Ukraine et la Moldavie font partie, certes contraintes et forcées, de la CEI, la « Communauté des États indépendants ». Cette organisation, dont les fonctions ne sont pas

Présence russe
⭐ Troupes stationnées

🚢 Base naval russe

▨ Pays candidats à l'Union européenne

Présence américaine
▢ Assistance militaire (Géorgie)

OTAN

■ Pays membres

très claires, fut décidée en 1991 pour maintenir des relations entre la Fédération de Russie et les pays qui avaient été des républiques soviétiques. La plus peuplée est l'Ukraine (604 000 km², 50 millions d'habitants). Ses liens historiques avec la Russie sont anciens (ils remontent au XVIIIᵉ siècle) et elle compte de nombreux Russes dans sa partie orientale et dans la presqu'île de Crimée.

en 1998 une terrible crise financière : le rouble a perdu l'essentiel de sa valeur, et la monnaie n'a été redressée qu'avec l'aide des banques occidentales.

En 2000, Boris Eltsine (dont la famille, et notamment la fille, a largement profité des privatisations) favorise l'élection d'un de ses jeunes adjoints, Vladimir Poutine, comme président de la Russie. Celui-ci a commencé sa carrière dans les services secrets du KGB, et les collaborateurs dont il s'entoure font eux aussi partie du FSB (Service fédéral de sécurité, nou-

veau nom du KGB). Poutine s'efforce progressivement de rétablir l'ordre en contrôlant les médias et en limitant les pouvoirs des élus que sont les gouverneurs de province. Il s'efforce de contrôler les oligarques également, en s'opposant notamment à ce que des hommes d'affaires américains deviennent PDG de sociétés pétrolières russes.

De nombreuses républiques autonomes

Un des gros problèmes de la Russie est celui des 21 régions autonomes (voir carte p. 74). Celles-ci datent des débuts de l'Union soviétique et sont, elles aussi, l'expression de la « politique des nationalités » décidée par Staline. Si, dans le cadre de l'ex-empire tsariste, les nations non russes les plus importantes devinrent comme la Russie des républiques fédérées, en revanche, sur le territoire de la Russie, de nombreux « petits peuples » non russes furent proclamés « républiques autonomes », dirigées elles aussi par des autochtones, à la condition que ceux-ci soient membres du parti communiste. Dans les régions arctiques, dix républiques ou territoires autonomes couvrent de vastes espaces très peu peuplés. Le long de la frontière sud de la Sibérie, cinq républiques autonomes sont de peuplement mongol.

Les républiques autonomes de la Volga et de l'Oural posent davantage de problèmes géopolitiques, notamment celles du Tatarstan et de Bachkirie (Bachkotorstan), majoritairement musulmanes. Elles sont de langue turque, tout comme le Kazakhstan, ex-grande république fédérée devenue indépendante en 1991. Entre la Bachkirie et le Kazakhstan, la Russie ne dispose que d'un mince couloir, celui d'Orenburg, pour se relier à la Sibérie. Le versant nord de la grande chaîne du Caucase pose des problèmes plus graves encore : des peuples montagnards, musulmans pour la plupart, aux langues très diverses, ont été regroupés en six républiques autonomes dont les territoires se disposent parallèlement de la montagne à la plaine. L'une d'entre elles est devenue, pour son malheur, mondialement célèbre : la Tchétchénie (p. 88).

La situation économique

Elle s'est nettement améliorée depuis 2003, avec la considérable augmentation des prix mondiaux du pétrole et du gaz. Comme la Russie est un des principaux exportateurs d'hydrocarbures, le gouvernement de Vladimir Poutine dispose de moyens financiers qui lui ont permis de sortir de la misère une armée dont les effectifs ont été considérablement restreints. Mais le système de santé est encore dans un état lamentable, ce qui, avec l'alcoolisme, a pour conséquence un accroissement considérable des taux de mortalité (16 p.1000, comme l'Afrique centrale), alors que la natalité est en déclin. La Russie perd ainsi chaque année 700 000 habitants, soit 12 millions depuis la dislocation de l'URSS, et les perspectives démographiques semblent encore plus défavorables.

Si, durant les premières années de leur indépendance, les républiques d'Asie centrale ont cherché à maintenir des relations avec Moscou pour avoir quelques moyens, la découverte de gisements de pétrole et de gaz sur leurs territoires par des compagnies américaines ou anglaises a changé radicalement les perspectives. La Russie fait pression pour que passent par son territoire les canalisations par lesquelles se font les exportations de pétrole et de gaz du Kazakhstan, du Turkménistan et d'Azerbaïdjan. La Chine, dont les besoins en énergie ont énormément augmenté, fait des offres pour que s'orientent vers elle les oléoducs et les gazoducs depuis l'Asie centrale.

Vers l'ouest, les relations de la Russie avec les ex-républiques soviétiques ne sont pas bonnes. Les Pays baltes font aujourd'hui partie de l'OTAN et de l'Union européenne. L'Ukraine voudrait faire de même, mais l'essentiel du gaz qu'elle consomme vient de Russie, et celle-ci menace de fermer de nouveau les robinets des gazoducs. La Belarus (Biélorus-

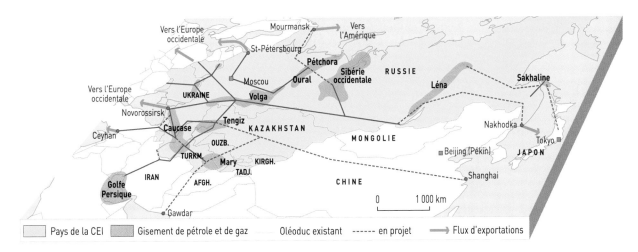

Légende : Pays de la CEI | Gisement de pétrole et de gaz | Oléoduc existant | ------ en projet | → Flux d'exportations

sie) est aussi en litige avec la Russie pour le prix du gaz. Plus à l'ouest, les États sur lesquels l'URSS avait établi sa domination de 1945 à 1989 sont désormais tous membres de l'Union européenne et de l'OTAN. La Pologne, par crainte de pressions russes, cherche par divers moyens à renforcer ses liens avec les États-Unis, de sorte qu'elle vient d'accepter que ceux-ci installent sur son territoire des missiles antimissiles sous le couvert d'intercepter des missiles qui pourraient être lancés depuis l'Iran. Les Russes considèrent que cela constitue en fait une menace à leur encontre, et Vladimir Poutine a annoncé que l'armée russe allait être dotée de nouvelles armes stratégiques pour y faire face. En 2008, doivent se tenir en Russie de nouvelles élections présidentielles et Poutine, selon la constitution, ne devrait pas être encore une fois réélu. ∎

↑ **La Russie du pétrole et du gaz.** Les gisements pétroliers de Russie se trouvent dans la vallée de la Volga et le sud de l'Oural (gisements qui dépendent des républiques autonomes du Tatarstan et de Bachkirie) et surtout en Sibérie, notamment aux abords de l'océan glacial Arctique. Les grands gisements autour de la Caspienne dépendent de nos jours d'États qui sont devenus indépendants (Azerbaïdjan, Kazakhstan). Deuxième producteur mondial de pétrole et premier de gaz naturel, la Russie joue une grande partie de son développement économique et de son influence géopolitique sur l'exploitation comme sur l'acheminement de ces fabuleuses richesses naturelles, à partir de son territoire ou de celui des pays de la Caspienne et de l'Asie centrale. Une partie complexe se joue autour de l'acheminement vers l'Europe du pétrole de la Caspienne. Les Américains ont ainsi réussi à contourner la Russie pour acheminer le pétrole de la Caspienne vers la Méditerranée par l'oléoduc BTC (Bakou-Tbilissi-Ceyhan), construit sous l'égide de la compagnie britannique BP. Le BTC devrait être doublé en 2007 par un gazoduc qui devrait acheminer le gaz d'Azerbaïdjan également vers la Turquie. Afin de réagir à ce coup de maître américain, Poutine tente de s'allier à la Chine pour contrôler l'acheminement vers ce pays des hydrocarbures d'Asie centrale (Kazakhstan, Kirghizistan, Ouzbékistan). La fourniture de gaz et de pétrole constitue par ailleurs pour Moscou un moyen de pression très fort à l'encontre de ses voisins ukrainien et géorgien.

La Russie et les ex-républiques soviétiques du Sud

Depuis 1991 sont devenues indépendantes, sept républiques ex-soviétiques, d'une part en Transcaucasie et d'autre part en Asie centrale.

Caucase et Transcaucasie

La grande chaîne du Caucase, qui s'étend entre la mer Noire et la mer Caspienne, est habituellement considérée comme une limite entre l'Asie et le continent européen. La ligne de crête du Caucase, avec des sommets dépassant 5 000 mètres, a été choisie par Staline comme frontière entre la République soviétique de Russie et les républiques soviétiques de Géorgie, d'Arménie et d'Azerbaïdjan, qui se trouvent dans les plaines de ce que les géographes russes appellent la Transcaucasie, c'est-à-dire ce qui est au-delà du Caucase.

Sur le versant nord du Caucase, c'est-à-dire dans la Fédération de Russie, se trouvent sept républiques autonomes, chacune correspondant à un ou deux des peuples caucasiens. S'ils parlent de multiples langues, ceux-ci sont pour la plupart musulmans, à une exception, les Ossètes, qui sont chrétiens, sans doute parce que, lors de leur difficile conquête du Caucase au XIXe siècle, les Russes ont fait un effort particulier pour les convertir, leur territoire se trouvant opportunément où la chaîne est le plus aisément franchissable. Les plus rebelles de ces peuples caucasiens sont les Tchétchènes, que Staline, durant la Seconde Guerre mondiale, avait fait déporter en Asie centrale pour les punir d'avoir noué des contacts avec les Allemands lors de leur offensive vers les gisements de pétrole de Bakou. Cette

L'Arménie en chiffres

Superficie	29 800 km²
Population	3,8 millions d'habitants
PNB	2,9 milliards de dollars

L'Azerbaïdjan en chiffres

Superficie	87 000 km²
Population	8,1 millions d'habitants
PNB	6,8 milliards de dollars

La Géorgie en chiffres

Superficie	70 000 km²
Population	5,2 millions d'habitants
PNB	3,9 milliards de dollars

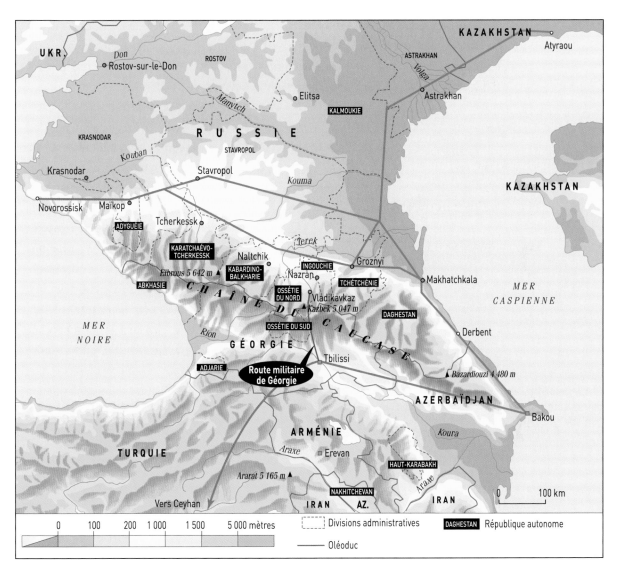

↗ La géopolitique du Caucase.

La chaîne de montagnes du Caucase s'étend sur 1 250 kilomètres entre la mer Noire et la Caspienne. Culminant à 5 642 mètres, elle descend rarement au-dessous de 2 000 mètres. Difficilement pénétrable, le Caucase a été un refuge pour différentes populations et constitue ainsi une véritable mosaïque ethnique. La région comprend sept républiques de Russie, majoritairement musulmanes (à l'exception de l'Ossétie du Nord), qui forment le Caucase du Nord, et, au sud, les trois républiques de Transcaucasie, la Géorgie et l'Arménie qui sont peuplées de chrétiens et l'Azerbaïdjan qui est peuplée de musulmans chiites comme ceux de l'Iran voisine.

déportation cessa en 1957, mais les Tchétchènes en ont gardé le souvenir, et cela explique pour une part le combat qu'un grand nombre d'entre eux mènent

depuis 1994 contre les Russes, lesquels craignent que cette insurrection ne se propage parmi les autres républiques autonomes caucasiennes, notamment sous la pression des islamistes.

En Transcaucasie, l'Azerbaïdjan, dont les Russes ont fait la conquête au début du XIXe siècle sur l'empire perse, est majoritairement peuplé de musulmans turcophones chiites. Dans les frontières de cette république telles que les avaient tracées les Soviétiques se trouvait une importante enclave, le Haut-Karabagh, peuplée d'Arméniens. Ceux-ci se sont révoltés en 1991 pour se rattacher à l'Arménie voisine, ce à quoi ils sont parvenus après de graves combats qui ont duré jusqu'en 1994.

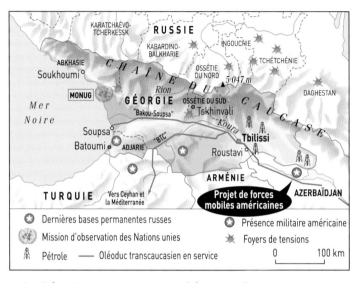

↗ La Géorgie, entre pressions russes et influences américaines.

Depuis son accession à l'indépendance en 1991, la Géorgie connaît une vie politique agitée : mouvements sécessionnistes abkhaze, au nord-ouest, et ossète, au nord du pays (ce qui a entraîné le déclenchement d'une mission de l'ONU, parallèlement à la présence de forces de la CEI), renversements du gouvernement en 1993 et en 2003. L'opinion géorgienne est prompte à voir la main de Moscou derrière ces soubresauts, tandis que les

autorités russes discernent l'influence américaine sur le cours des événements, notamment en 2004, lors de l'arrivée au pouvoir de Mikhaïl Saakachvili. De fait, l'oléoduc Bakou-Tbilissi-Ceyhan évite depuis 2005 le territoire russe, à la satisfaction des opérateurs américains. Par ailleurs, le Kremlin, qui s'est engagé à retirer ses troupes du pays, redoute une présence militaire américaine en Géorgie, même si Washington a démenti tout projet d'installation de base permanente.

L'Azerbaïdjan dispose d'une vaste plaine au sud du Caucase et de grands gisements pétroliers en bordure de la Caspienne, notamment à Bakou, où l'exploitation du pétrole date d'avant la Première Guerre mondiale. Ces gisements étaient considérés par les Soviétiques comme presque épuisés, mais, après la dislocation de l'URSS, des compagnies anglaises et américaines ont découvert de nouvelles réserves, très importantes. Les Russes auraient voulu eux-mêmes exporter ce pétrole, par l'intermédiaire d'un oléoduc passant par le nord du Caucase puis par la mer Noire et les détroits turcs, vers la Méditerranée. Mais les

Turcs, pour éviter le passage d'énormes navires pétroliers par les détroits, ont proposé un oléoduc reliant directement Bakou à Ceyhan, sur la côte Méditerranéenne, en passant à travers la Géorgie. Les Russes ont exercé de multiples pressions, notamment sur celle-ci, pour empêcher la construction de cet oléoduc, mais il a été achevé en 2006 par la compagnie BP (voir chap. Pétrole p. 175).

La Géorgie se targue, comme l'Arménie, d'avoir été le premier royaume chrétien. Longtemps dominés par l'empire ottoman, ces deux pays ont été conquis au début du XIXᵉ siècle par l'empire russe, auquel ils avaient fait appel. Les rapports de la Géorgie avec la Russie ont été étroits, même à l'époque soviétique, car Staline était d'origine géorgienne. Lors de la dislocation de l'URSS en 1991, les Géorgiens n'ont pas tardé à proclamer leur indépendance. Mais les Abkhazes, un peuple musulman de 500 000 personnes, constituant une assez riche république autonome sur la côte de la mer Noire, ont voulu faire de même, ce qui a provoqué la fureur des Géorgiens. Ceux-ci ont été cependant battus par les Abkhazes, discrètement aidés par les Russes qui voulaient obliger les Georgiens à entrer dans la CEI et à ne plus d'exiger le départ de leurs garnisons. La vie politique géorgienne a été fort agitée et a connu plusieurs révolutions. La der-

↗ **L'enchevêtrement des peuples et des religions.** La raison du grand nombre des peuples de langues différentes que compte le Caucase n'est pas encore clairement expliquée. Sans doute de très anciennes migrations sont-elles venues se réfugier et s'isoler dans cette grande chaîne de montagnes. À l'est, la république du Daghestan bat le record de diversité avec – disent les linguistes, qui s'en délectent – 72 langues différentes, certaines d'entre elles n'étant parlées que par quelques milliers de personnes. De surcroît, ces langues s'enchevêtrent les unes aux autres sur des territoires restreints, ce qui provoque de multiples contestations géopolitiques.

nière, dite «révolution des Roses» (2003), eut le soutien des Américains, qui ont veillé à la réalisation de l'oléoduc Bakou-Ceyhan, à travers le pays.

L'ex-république soviétique d'Arménie reste traumatisée par le souvenir des massacres dont les Arméniens de Turquie ont été victimes en 1915, durant la Première Guerre mondiale. La région ne représentait alors qu'une fraction de la Grande Arménie qui s'étendait jadis sur une notable partie de l'Asie Mineure et avait été conquise par l'empire perse, puis l'empire turc au XVe siècle. Les Arméniens de l'empire ottoman se soulevèrent à plusieurs reprises au XIXe siècle. Durant la Première Guerre mondiale, alors que l'armée russe combattait l'armée turque, des Arméniens se révoltèrent sur les arrières de celle-ci. Le gouvernement jeune-turc d'Istanbul décida d'écraser massivement cette révolte et de déporter vers le sud toute la population arménienne. Cela s'accompagna d'horribles massacres, dénoncés de nos jours comme génocide par les Arméniens descendant de ceux qui survécurent et émigrèrent en France et aux États-Unis.

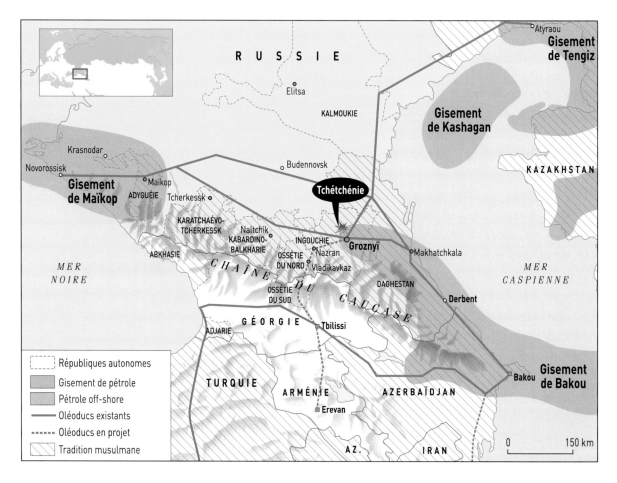

→ **La Tchétchénie et ses voisins.** Alors qu'on estime les victimes de la guerre à près de 10% de la population, quelque 200 000 Tchétchènes se sont réfugiés dans les républiques voisines, notamment en Ingouchie et au Daghestan. Les autorités russes justifient leur détermination par la volonté de contrecarrer l'influence des islamistes tchétchènes, mais aussi arabes, afghans ou même bosniaques qui se seraient joints aux combats. Moscou craint également les retombées de ce conflit sur les républiques caucasiennes voisines, voire sur les républiques autonomes de la Fédération de Russie, Tatarstan et Bachkortostan. Par mesure préventive, sur le trajet de l'oléoduc qui achemine le pétrole de la Caspienne, les Russes ont construit une bretelle contournant la Tchétchénie.

← **les enjeux caucasiens : pétrole et revendications nationales.** À l'ouest du Caucase, le gisement de Maïkop, depuis longtemps exploité, est habituellement considéré comme épuisé, mais, avec les techniques nouvelles mises en œuvre par les compagnies occidentales, des gisements qui semblaient en fin d'exploitation, comme ceux de Bakou, ont révélé des possibilités encore considérables. Sur cette carte, on voit bien le tracé du nouvel oléoduc qui contourne par le nord le territoire de la Tchétchénie. Les Russes ont voulu ainsi couper les ressources des nationalistes tchétchènes qui pompaient le pétrole dans la canalisation qui passait par Groznyï, privant du même coup la petite république de ses droits de péage. Les oléoducs venus du nord de la mer Caspienne aboutissent à Novorossisk, qui est, depuis la dislocation de l'URSS en 1991, le principal port russe sur la mer Noire.

Les Adygués en chiffres

Population	450 000 habitants

Le Daghestan en chiffres

Population	2,2 millions d'habitants

L'Ingouchie en chiffres

Population	490 000 habitants

La Kabardino-Balkarie en chiffres

Population	792 000 habitants

la Karatchaïs-Tcherkesses en chiffres

Population	440 000 habitants

L'Ossétie du Nord en chiffres

Population	674 000 habitants

La Tchétchénie en chiffres

Population	574 000 habitants

La guerre de Tchétchénie

Depuis 1994, la République de Tchétchénie (574 000 d'habitants dont 30 % de Russes) connaît une guerre cruelle : Boris Eltsine, en proclamant l'indépendance de la Russie, ayant appelé par démagogie les autres républiques soviétiques à prendre « le maximum de souveraineté », des Tchétchènes conduits par l'un d'entre eux, ex-général soviétique, se proclamèrent indépendants et prirent le pouvoir. Mais cela provoqua l'opposition d'autres Tchétchènes, membres d'un clan rival, qui firent appel aux Russes. Ceux-ci subirent un cuisant échec, et Eltsine accepta une quasi-indépendance de la Tchétchénie. Mais les rivalités entre clans et confréries religieuses empirèrent avec l'intervention de groupes islamistes venus d'Afghanistan (par l'Asie centrale ex-soviétique), et la guerre reprit en 1999 avec l'armée russe. Très pauvre, désorganisée, corrompue, celle-ci, en dépit de la brutalité de ses méthodes, a fait preuve d'une grande inefficacité contre les réseaux terroristes islamistes. Si les Russes ont théoriquement cédé le pouvoir aux représentants des clans tchétchènes hostiles aux islamistes, la guerre continue, avec des raids terroristes dans les républiques caucasiennes voisines, ainsi qu'en Russie, y compris à Moscou.

Les républiques d'Asie centrale

Sous l'empire russe (voir diatope p. 89), on appelait Turkestan russe l'immense territoire de steppes et de déserts situé à l'est de la Caspienne, au nord de l'Iran et de l'Afghanistan. Après la chute du tsar (1917), les peuples indigènes, pasteurs nomades ou cultivateurs des oasis, musulmans de langue turque pour la plupart, se révoltèrent contre le pouvoir des Soviétiques. Staline tira argument des différences de dialectes pour diviser ce grand Turkestan en cinq républiques soviétiques, lesquelles, sans trop l'avoir voulu, sont devenues indépendantes en 1991 : elles forment le Kazakhstan, l'Ouzbékistan, le Turkménistan, le Kirghizistan et le Tadjikistan. Cette dernière république n'est pas de langue turque comme les quatre autres, mais de langue tadjike (qui est proche du persan), également parlée en Afghanistan.

La plus vaste de ces républiques est celle du Kazakhstan, dont les frontières nord ont été tracées aux abords de l'Oural et du cours inférieur de la Volga. Jusqu'à une période récente, les Russes étaient, dans cette république, plus nombreux que les Kazakhs, car nombre de ceux-ci s'étaient, pour fuir la domination soviétique, réfugiés en Chine occidentale, chez des populations elles aussi musulmanes et de langue turque. Les Russes travaillèrent dans de grandes mines de charbon et de grandes exploitations agricoles dans le nord. Ils créèrent le grand centre spatial de Baïkonour et des centres d'expériences nucléaires. Après l'indépendance et le départ d'un grand nombre de Russes, le nouveau gouvernement kazakh (héritier du pouvoir communiste) eut la chance que des compagnies pétrolières américaines, puis chinoises, découvrent de grands gisements de pétrole dans la Caspienne et sur ses côtes orientales. L'oléoduc qui pourrait l'acheminer vers l'est jusqu'en Chine passera par les fameuses « Portes de Dzoungarie », par lesquelles les cavaliers mongols ont envahi l'Europe au Moyen Âge. Les revenus du pétrole ont permis au gouvernement kazakh de créer dans les steppes du nord une nouvelle capitale, Astana, l'ancienne capitale, Alma-Ata, étant trop loin de la frontière russe. Avec 25 millions d'habitants, l'Ouzbékistan est la république la plus peuplée d'Asie centrale et s'y trouvent des villes médiévales prestigieuses (Samarkand ou Boukhara, de culture persane). La plus grande partie de cette population vit non pas dans les steppes, comme au Kazakhstan, mais de l'agriculture intensive, pratiquée dans les grandes vallées des fleuves qui descendent des très hautes montagnes enneigées qui forment la frontière avec la Chine. Entre ces chaînes de montagnes, des dépressions concentrent de fortes densités de population. La plus célèbre de ces dépressions est celle du Ferghana (10 millions d'habitants), que se disputent des populations d'origines diverses, ouzbeks, tadjikes, kirghizes. Aussi les frontières de ces trois républiques s'enchevêtrent-elles de façon fort compliquée, ce qui engendre des tensions dont profitent les islamistes pour s'opposer au gouvernement (héritier des Soviétiques). Au sortir des montagnes, ces fleuves descendent au milieu des steppes vers la mer d'Aral, qui est un grand lac à l'est de la Caspienne.

À l'époque soviétique ont été développées de grandes zones de culture du coton dans ces vallées. Mais cette culture, qui exige beaucoup d'eau, a provoqué en aval l'assèchement de la mer d'Aral. On s'efforce aujourd'hui de réduire le gaspillage de l'eau dont on mesure le caractère précieux.

Le Kazakhstan en chiffres

Superficie	2 717 000 km²
Population	16,1 millions d'habitants
PNB	26,5 milliards de dollars

Le Kirghizistan en chiffres

Superficie	199 000 km²
Population	5 millions d'habitants
PNB	1,7 milliard de dollars

L'Ouzbékistan en chiffres

Superficie	447 000 km²
Population	25,3 millions d'habitants
PNB	10,8 milliards de dollars

Le Tadjikistan en chiffres

Superficie	143 000 km²
Population	6,1 millions d'habitants
PNB	1,3 milliard de dollars

Le Turkménistan a aussi des oasis de piémont et des steppes d'élevage nomade. Le développement des recherches pétrolières aux abords de la mer Caspienne a fait découvrir dans ce pays d'énormes gisements de gaz, dont la production est exportée vers la Russie et l'Ukraine, mais aussi vers l'Iran ; un gazoduc est même envisagé pour rejoindre l'océan Indien, à travers l'Afghanistan. Grâce aux revenus du gaz, le pouvoir turkmène (héritier des Soviétiques) a atteint les sommets d'une ridicule mégalomanie.

Le Tadjikistan n'a pas de telles ressources et, dans ses montagnes, la situation est difficile. L'Amou-Daria, dont la vallée marque la frontière avec l'Afghanistan, n'est en effet pas une barrière pour les différents groupes islamistes afghans qui opèrent depuis plus de vingt ans contre les Soviétiques et contre l'armée russe aujourd'hui. Celle-ci, dans le cadre de la CEI, maintient des effectifs relativement importants au Tadjikistan pour surveiller les infiltrations islamistes en Asie centrale et vers le Caucase, mais aussi pour « essayer » de contrôler le trafic de l'héroïne, dont l'Afghanistan est le plus gros producteur mondial. C'est par le Turkménistan, et aussi par le Pakistan voisin, que commencent les routes de la drogue vers l'Europe occidentale et la Russie, à travers l'Asie centrale, le Caucase, la Turquie et les Balkans. ∎

⬎ Au cœur des Républiques musulmanes, la vallée du Ferghana.

1. L'immense dépression d'Asie centrale, que l'on appelait autrefois le Turkestan russe, a été divisée par les Soviétiques en plusieurs républiques de langue turque, sauf le Tadjikistan, de langue persane. Les steppes du Kazakhstan ont été, durant des décennies, des lieux d'expériences nucléaires, ce qui a laissé de dangereuses radiations.

2. L'Ouzbékistan a la chance de bénéficier des eaux qui descendent l'été des grandes chaînes de montagnes alentour. À cause du relief, ses relations sont difficiles en hiver avec la dépression du Ferghana, qui a été attribuée pour une grande part à l'Ouzbékistan.

3. Région la plus peuplée d'Asie centrale, la dépression du Ferghana est célèbre pour l'enchevêtrement des frontières qui la divisent. Ses sanctuaires ont sans doute été visités par Alexandre le Grand.

La dépression du Ferghana

Large d'environ 150 kilomètres, elle s'étend d'est en ouest sur environ 300 kilomètres entre de hautes montagnes. Elle est partagée entre l'Ouzbékistan, le Kirghizistan et le Tadjikistan, car la population, qui est très dense – 10 millions d'habitants, soit environ 450 habitants au km² dans la plaine – appartient à des familles linguistiques très différentes. 7 millions d'habitants relèvent de l'Ouzbékistan, 2,5 millions du Kirghizistan et 1,5 million du Tadjikistan. Non seulement le fond de la dépression est partagé entre ces trois États, mais les eaux qui descendent des montagnes et qui sont intensivement utilisées pour l'irrigation doivent elles aussi être partagées d'amont en aval, ce qui provoque de fortes tensions. De surcroît, existent dans la montagne, dans le territoire du Kirghizistan, des enclaves tadjikes et ouzbeks. C'est dans le Ferghana ouzbek que se trouve la ville d'Andijan, théâtre, en mai 2005, de graves événements : une manifestation d'opposants au président ouzbek, Islam Karimov, ayant pris d'assaut la prison, a été mitraillée. Cette répression a fait plusieurs centaines de morts, sous prétexte ou pour la raison qu'il s'agissait d'une attaque islamiste. De nombreux réfugiés ont fui au Kirghizistan, dont les rapports avec l'Ouzbékistan se sont tendus.

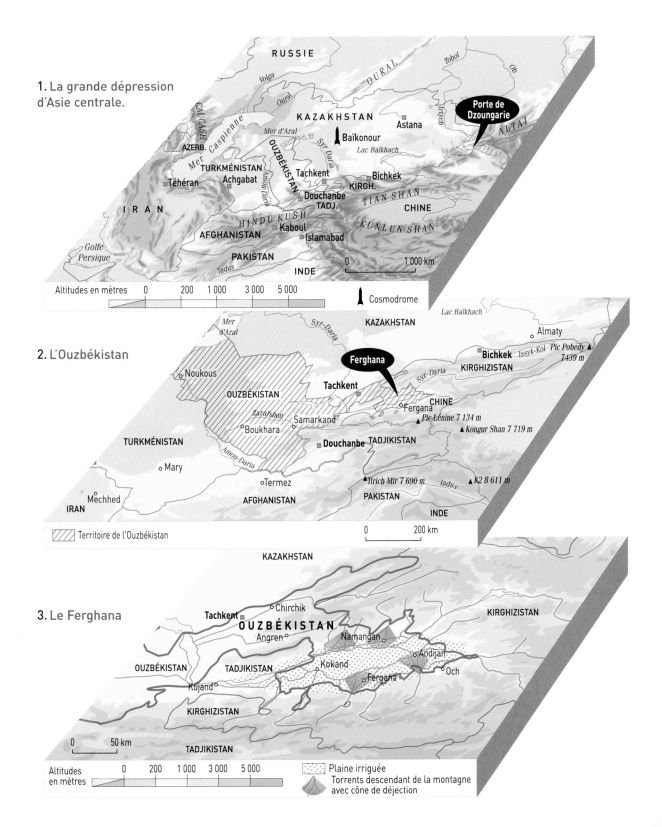

1. La grande dépression d'Asie centrale.

RUSSIE

OURAL

Tobol

Ob

Volga

Oural

Irtych

KAZAKHSTAN

Astana

Porte de Dzoungarie

ALTAÏ

CAUCASE

Mer d'Aral

Baïkonour

AZERB.

Mer Caspienne

Syr Daria

Lac Balkhach

TURKMÉNISTAN

OUZBÉKISTAN

Tachkent

Bichkek

Achgabat

Téhéran

Amou Daria

Douchanbe

TADJ.

KIRGH.

TIAN SHAN

CHINE

IRAN

HINDU KUSH

Kaboul

KUNLUN SHAN

AFGHANISTAN

Islamabad

Golfe Persique

PAKISTAN

INDE

Indus

0   1 000 km

Altitudes en mètres   0   200   1 000   3 000   5 000

▲ Cosmodrome

2. L'Ouzbékistan

Mer d'Aral

KAZAKHSTAN

Lac Balkhach

Almaty

Pic Pobedy ▲
7 439 m

Noukous

Ferghana

Bichkek

Issyk-Kol

KIRGHIZISTAN

Tachkent

OUZBÉKISTAN

Zaráfshøø

Samarkand

Fergana

CHINE

Pic Lénine 7 134 m ▲

TURKMÉNISTAN

Boukhara

Douchanbe

TADJIKISTAN

▲ Kongur Shan 7 719 m

Amou-Daria

Mary

Termez

Tirich Mir 7 690 m ▲

Indus

▲ K2 8 611 m

IRAN

Mechhed

AFGHANISTAN

PAKISTAN

INDE

▨ Territoire de l'Ouzbékistan

0   200 km

3. Le Ferghana

KAZAKHSTAN

Chirchik

Tachkent

KIRGHIZISTAN

OUZBÉKISTAN

Angren

Namangan

OUZBÉKISTAN

TADJIKISTAN

Kokand

Andijan

Och

Kujand

Fergana

KIRGHIZISTAN

TADJIKISTAN

0   50 km

Altitudes en mètres   0   200   1 000   3 000   5 000

⬚ Plaine irriguée

◣ Torrents descendant de la montagne avec cône de déjection

En Asie, une nouvelle très grande puissance : la Chine

Avec 1,3 milliard d'habitants, la Chine est l'État le plus peuplé du monde. Quant aux Chinois – les vrais Chinois de culture chinoise, ceux que l'on appelle les Hans –, ils forment le groupe culturel le plus important au monde, soit 1,2 milliard de personnes (90 % de la population de la République populaire de Chine).

Depuis plusieurs décennies, la population de la Chine ne s'accroît plus que très lentement (la natalité y étant strictement limitée par l'État). En revanche, celle de l'Union indienne (1,2 milliard d'habitants, soit presque autant que la Chine) continue de s'accroître rapidement. Les Indiens ne forment toutefois pas une masse aussi cohérente que les Chinois. En effet, en Inde, on parle des langues extrêmement diverses, plus de 3 000 ; parmi les plus importantes (une quarantaine), l'hindi est parlé par 400 millions de personnes ; ce sont des langues alphabétiques, comme presque toutes les langues. En revanche, en Chine, l'écriture des Hans est depuis des siècles formée d'idéogrammes, ce qui fait la très grande singularité de la culture chinoise. Par les idéogrammes qui figurent sur les devantures et les enseignes

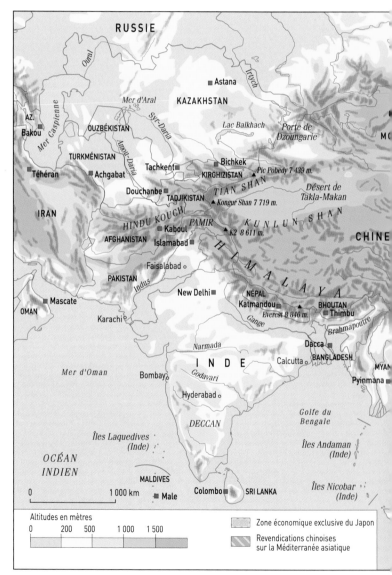

La Chine en chiffres

Superficie (en km²)	9 596 961
Population (1)	1 323 345 000
Densité	138
Taux de natalité (pour 1 000 habitants) [2]	13,6
Taux de mortalité (pour 1 000 habitants) [2]	6,8
Taux d'accroissement naturel (en % de la population totale) [2]	0,65
Produit national brut (en milliards de dollars) [2]	1 416,8
PNB/hab. en parité de pouvoir d'achat [2]	4 980
Structure du produit intérieur brut : part de l'agriculture (3)	15,4
Structure du produit intérieur brut : part de l'industrie (3)	51,1
Structure du produit intérieur brut : part des services (3)	33,5
Effectifs des forces armées régulières [2]	2 255 000
Part du budget de la Défense dans le produit intérieur brut [2]	1,55

1 : 2005   2 : 2003   3 : 2002

↓ Le relief de l'Asie

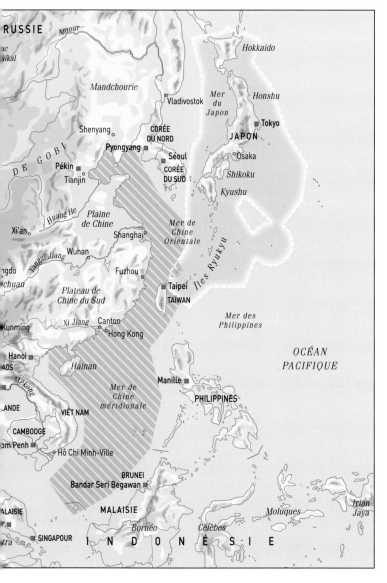

de magasins, par exemple, on reconnaît dans les villes du monde entier la présence de quartiers chinois.

Des relations compliquées entre deux Chine

Un grand nombre de Chinois ont émigré, surtout depuis les côtes de la Chine du Sud. Ils forment dans les pays de l'Asie du Sud-Est une *diaspora* de plus de 20 millions de personnes, auxquelles il

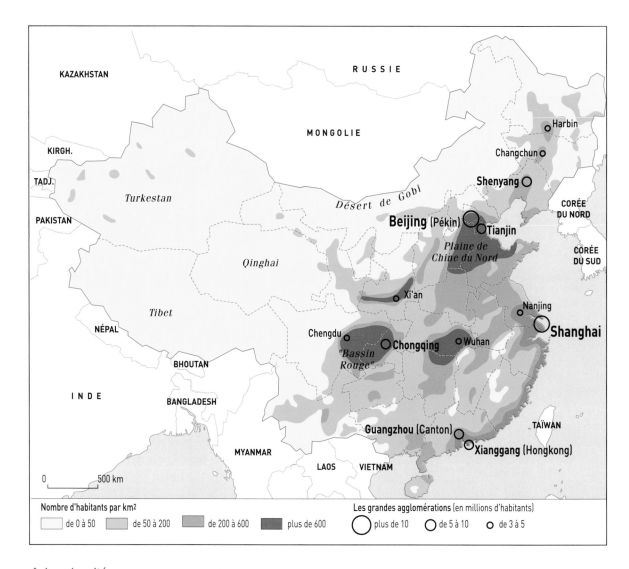

↑ Les densités de population. Si le contraste est net entre la partie orientale du pays, très densément peuplée, et les provinces occidentales, semi-désertiques, les autorités chinoises continuent de veiller scrupuleusement au contrôle des naissances, bien que la croissance économique atteigne désormais des records (jusqu'à 16 % par an). La politique de limitation de la natalité décidée dans les années 1970 a été de nouveau décrétée «fondement de la politique nationale» en 2001, tandis que les méthodes coercitives d'avortement et de stérilisation forcée n'ont pas été abandonnées. Le taux de natalité chinois est en passe de descendre au-dessous du taux de renouvellement naturel de la population et l'insuffisance du nombre des filles commence à se faire durement sentir.

convient d'ajouter les 22 millions de Chinois de l'île de Taïwan. Celle-ci forme un État dont le nom officiel est République de Chine, alors que la Chine proprement dite, la Chine continentale, est la République populaire de Chine, dirigée par le Parti communiste chinois depuis 1949. Cette année-là, une partie des Chinois qui luttaient contre les communistes s'est réfugiée dans l'île de Taïwan, où ils ont réalisé un très grand développement économique, sous protection des Américains. Les relations entre les États-Unis et la République populaire de Chine ont longtemps été fort mauvaises, mais elles se sont améliorées depuis la fin des années 1970, pour devenir très bonnes depuis le grand essor économique de la Chine. Ainsi les banques chinoises, grâce aux profits de leurs relations commerciales avec l'Amérique, prêtent-elles des sommes considérables au gouvernement américain (elles ont acheté 350 milliards de dollars de bons du Trésor américain). Cependant, les États-Unis empêchent depuis 1949 le gouvernement de Pékin de conquérir Taïwan, dont les banques contribuent activement au développement économique de la Chine continentale.

Une ancienne très grande puissance

Durant des millénaires, la Chine a été une très grande puissance, tant par l'effectif de sa population que par l'unité et l'efficacité de sa civilisation. Au XVIIIe siècle, elle compte 300 millions d'habitants, soit sans doute le tiers de la population mondiale de l'époque. À la différence de la plupart des empires qui, dans l'histoire du monde, ont rassemblé de gré ou de force des peuples très divers, la Chine a une très forte unité culturelle. Cela est d'autant plus étonnant que le territoire conquis par l'empire chinois il y a des siècles est extrêmement vaste : il s'étend sur 6 000 km d'est en ouest, 5 000 km du nord au sud, soit 9,5 millions de km^2. Cette extension aurait pu englober des populations très hétérogènes, comme c'est le cas en Inde, quoique son espace soit trois fois moins vaste que la Chine. Mais les Hans – les vrais Chinois – se sont de plus en plus multipliés du fait de leurs conquêtes militaires sur d'autres peuples et surtout grâce aux méthodes de culture très intensives qu'ils ont mises au point dans les rizières soigneusement aménagées et arrosées (deux récoltes de riz par an grâce à la technique du repiquage). Les Hans se trouvent surtout dans le tiers oriental de leur immense État, c'est-à-dire dans les régions qui reçoivent en été les pluies abondantes de la mousson. En revanche, dans l'intérieur du pays, plus des deux tiers des terres souffrent de la sécheresse, au point même d'être désertiques sur de vastes étendues ; elles sont

de surcroît soumises à des hivers extrêmement froids et secs.

Les autres grands groupes ethniques que compte la Chine (les Tibétains au sud-ouest, les Mongols au nord et les Ouïgours à l'ouest (qui sont des musulmans de langue turque), soit, au total, 120 millions d'habitants, 10 % de la population) se dispersent dans d'immenses régions arides ou s'y concentrent en oasis. Le gouvernement de Pékin y implante des Hans, en groupes de plus en plus nombreux, pour des raisons stratégiques, à tel point qu'il y aura bientôt davantage de Hans que de Ouïgours dans l'ouest de la Chine que de Tibétains au Tibet. Une voie ferrée, longue de 2 000 km (dont la moitié à plus de 4 000 mètres d'altitude), a été récemment inaugurée sur les hauts plateaux du Tibet, pour atteindre Lhassa, la capitale du Tibet, conquise par l'armée chinoise en 1949.

La grande crise depuis le milieu du XIXe siècle

Le déclin de la dynastie des Qing au début du XIXe siècle a coïncidé avec l'apparition, aux frontières sud de la Chine, des impé-

↑ **La Chine des « traités inégaux ».** Au début du XIXe siècle, la Chine que gouverne depuis deux siècles une dynastie étrangère, celle des Mandchous, entre dans une phase de grands désordres, ce dont profitent les puissances étrangères (Anglais, Français, Russes d'abord – Allemands et Japonais ensuite). En 1842, le traité de Nankin, qui ouvre au commerce occidental cinq ports chinois et entérine la cession de Hongkong à l'Angleterre, inaugure l'ère des « traités inégaux ». En 1860, les Anglo-Français imposent l'ouverture de onze nouveaux ports, tandis que les Russes annexent les territoires au nord de l'Amour et s'avancent jusqu'à la mer de Chine. La dynastie mandchoue ne parviendra pas à réformer le pays, pas plus que la république que Sun Yat-sen proclame en 1911 à Canton et dans le sud de la Chine.

rialismes européens, en premier lieu celui des Anglais. Cette immixtion des Européens dans les affaires de la Chine eut des conséquences d'autant plus graves qu'elle s'accompagna dès 1850 d'une importante insurrection paysanne, celles des Taiping, qui prirent le contrôle durant quinze ans de la Chine du Sud. En 1911, la déchéance de ce pouvoir impérial et l'instauration de la République furent proclamées à Canton. Malheureusement, un général prit le pouvoir à Pékin, imité dans de nombreuses provinces par des « seigneurs de la guerre » qui avaient écrasé des insurrections paysannes. Vers 1920 le parti nationaliste Guomindang s'efforça de rétablir l'unité du pays à partir de la Chine du Sud. Son chef, Tchang Kaï-chek y parvint partiellement, avant d'essayer d'écraser les communistes qui se repliaient avec Mao Zedong dans le nord de la Chine. En août 1945, la capitulation japonaise remet face à face nationalistes et communistes chinois, et la guerre civile reprend bientôt. Contrairement à ce que l'on croit souvent, la victoire de Mao Zedong en 1949 ne résulte pas du soutien que lui auraient apporté les Soviétiques, car ceux-ci conti-

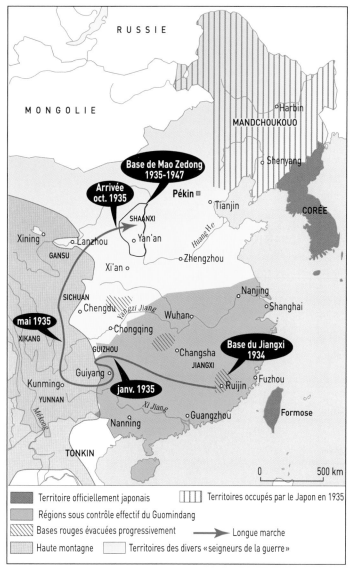

↗ **La Longue Marche (oct. 1934-oct. 1935).**
Chassé en 1927 des grands centres urbains de Chine du Sud, le Parti communiste chinois se replie vers les campagnes. D'abord réfugié dans les montagnes du Jiangxi, Mao Zedong fonde en 1931 une république communiste, rurale et militaire. Encerclés dès l'année suivante par les troupes du Guomindang, les communistes doivent se replier vers les montagnes de l'ouest. C'est la Longue marche de 12 000 kilomètres qui les conduit ensuite vers le nord jusqu'au Shaanxi. Elle coûtera la vie à quelque 100 000 partisans. En 1935, Mao Zedong fonde à nouveau une petite république communiste à Yan'an qui résistera aux offensives japonaises. La légende du communisme chinois est née.

↗ Les PIB en Chine. On remarque une forte différence entre les provinces côtières, désormais riches et industrieuses, le centre majoritairement rural et les provinces de l'ouest, nettement moins développées. La Chine contemporaine est marquée par de considérables migrations intérieures (plus de 200 millions de personnes entre 2000 et 2005), des campagnes vers les villes, ce qui fait craindre à certains des risques de déstabilisation sociale. Les autorités font remarquer que le taux d'urbanisation du pays dans les villes de plus de un million d'habitants reste encore inférieur de plus de 5 % à la moyenne mondiale. Le PIB de la Chine, en y incluant celui de Hongkong, serait parvenu au quatrième rang mondial, derrière celui des États-Unis, du Japon et de l'Allemagne.

nuaient de soutenir Tchang Kaï-chek, mais de l'abandon de celui-ci par les Américains, lassés de voir les armes qu'ils fournissaient revendues aux communistes par des officiers nationalistes corrompus. Les communistes rétablissent enfin l'unité de la Chine, hormis Hongkong, qu'ils laissent sous le contrôle des Anglais, et Taïwan, où s'est réfugié Tchang Kaï-chek.

Les deux phases du pouvoir communiste en Chine

L'établissement du pouvoir communiste en Chine s'est d'abord traduit par la collectivisation des terres agricoles et l'exécution massive des propriétaires fonciers. Dans les villes, les industries furent nationalisées. Un système totalitaire, comparable à celui de l'URSS, est mis en place, et les camps de déportation du laogaï sont comparables à ceux du goulag.

En 1958, Mao Zedong lance le « Grand Bond en avant » : les coopératives paysannes qui avaient correspondu jusqu'alors aux villages sont regroupées en de très grandes « communes populaires » où les paysans sont enrégimentés dans des structures communautaires, notamment pour de grands travaux hydrauliques et de multiples installations industrielles à la campagne. Du coup, il n'y a plus assez de main-d'œuvre pour réaliser à temps toutes les opérations de l'agriculture intensive, et les récoltes diminuent considéra-

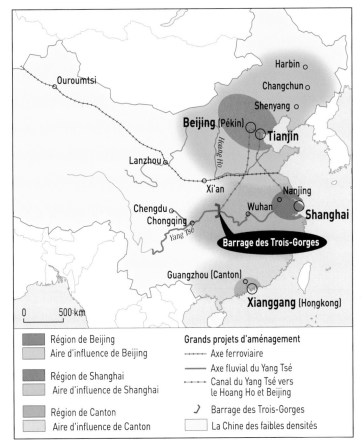

↗ Les aires d'influence des villes. Les trois grandes régions urbaines chinoises, celle de Pékin avec le port de Tianjin, celle de Shanghai et celle de Canton-Hongkong, qui rassemblent chacune plus de vingt millions d'habitants, se répartissent de façon relativement harmonieuse dans la zone côtière de la Chine qui est aussi celle où se concentre la majeure partie de la population. Canton et Hongkong étendent leur influence sur le sud de la Chine. Shanghai est le débouché de la grande vallée du Yang Tsé (ou Yangzi-Jiang) où l'énorme barrage des Trois-Gorges va permettre aux navires d'assez gros tonnage de remonter jusqu'à la grande ville de Chongqing. Pékin-Tianjin est le débouché de la plaine de Chine du Nord et de la vallée du Hoang Ho (ou Huang He). La sécheresse croissante de la Chine du Nord pose de graves problèmes, mais devrait être partiellement surmontée par la réalisation du transfert vers le Hoang Ho d'une partie des eaux du Yang Tsé.

blement. Il en résulte une grave famine (sans doute 30 à 40 millions de victimes). C'est aussi le moment où la Chine communiste rompt ses relations avec l'URSS, qui met fin à son aide dans le domaine industriel et nucléaire. Il faut arrêter en 1962 le « Grand Bond en avant », qui est un échec dont les dirigeants communistes rendent Mao Zedong plus ou moins responsable. Mis sur la touche par les autres dirigeants du Parti, celui-ci en conçoit une profonde amertume et mène contre eux la « Révolution culturelle » en s'appuyant démagogiquement sur les étudiants, les fameux « gardes rouges », qui pourchassent alors quiconque ressemblant à un « bourgeois » : des ingénieurs, des professeurs, des savants, des personnes instruites. Les écoles et les universités sont fermées pendant dix ans, élèves et étudiants étant envoyés effectuer les travaux agricoles à la campagne.

Cette révolution à l'intérieur du Parti (1966-1976), qui prend fin avec la mort de Mao et la chute de ses adjoints, eut des conséquences très graves. Mais, après les délires idéologiques qui avaient accompagné le culte de Mao, sortirent de prison Deng Xiaoping et d'autres anciens dirigeants du Parti. Devenus fort réalistes, ceux-ci supprimèrent tout d'abord progressivement les « communes populaires », qui avaient en fait soumis les paysans aux travaux forcés. Cependant furent maintenues les lois limitant la natalité, qui interdisaient aux Chinois, sous peine de sanctions, d'avoir plus d'un enfant. On s'était en effet rendu compte que la croissance démographique du pays était devenue beaucoup trop rapide, aussi fallait-il la freiner de gré ou de force. La Chine, qui avait 600 millions d'habitants vers 1960, en comptait 900 millions quinze ans plus tard. Depuis, la croissance démographique est très ralentie.

En 1978, Deng Xiaoping fit approuver dans le domaine de l'agriculture, de l'industrie, de la science et de l'armée les « Quatre Modernisations », qui marquent le point de départ du formidable essor de la Chine. La collectivisation de l'agriculture fut abolie, et la terre agricole fut répartie entre les familles. Dans la gestion des usines, il fut autorisé d'associer les représentants de l'État et des municipalités à des capitalistes privés. Ces derniers prirent en fait de plus en plus d'importance, en s'alliant notamment à des fils de dirigeants du Parti communiste. Les capitalistes chinois vivant hors de Chine, et même ceux de Hongkong ou de Taïwan, furent bien accueillis, à compter du moment où ils apportaient des capitaux et des compétences et s'abstenaient de toute activité politique. Des « zones économiques spéciales » furent créées (la première près de Hongkong) pour y installer des entreprises américaines ou européennes. La

Chine s'ouvrit peu à peu au commerce international en passant (tout d'abord via Hongkong) des accords d'exportation avec des groupes étrangers.

Le territoire de Hongkong fut rétrocédé en 1997 par les autorités britanniques à la Chine, qui s'engagea à respecter la liberté des affaires (dont profitaient les banques chinoises) et la liberté d'expression (ce qui n'enthousiasmait guère le Parti communiste).

L'association d'un capitalisme « sauvage » et d'un puissant parti communiste

Depuis une trentaine d'années, le développement économique de la Chine est considérable. Loin de ralentir, comme certains le croyaient, le rythme de croissance du produit intérieur brut reste de 10 % par an, et peut-être davantage. Quels sont les moyens qui permettent un si grand essor ? En premier lieu, un capitalisme « sauvage », sans législation sociale ou fiscale, qui exploite au sens le plus fort du terme des travailleurs très nombreux, très habiles du fait de vieilles traditions artisanales, mais aussi très bon marché, car la masse de la population, surtout celle des campagnes, est encore très pauvre ; en second lieu, une population qui ne peut guère protester, car le Parti communiste chinois (à la différence du Parti communiste de l'URSS) a conservé tous ses pouvoirs, en les combinant avec les méthodes capitalistes, empêchant de s'exprimer toute autre force politique, contrôlant par sa police les déplacements des gens, notamment ceux des paysans qui viennent dans les villes pour trouver du travail, où, faute d'autorisation de séjour, ils sont payés de façon dérisoire sur les chantiers de construction. Les villes où poussent les gratte-ciel s'accroissent démesurément, chassant les habitants des vieux quartiers et les villageois des alentours. La croissance économique profite essentiellement à des classes moyennes, dont le pouvoir d'achat augmente rapidement. La richesse ostentatoire des centres-villes contrastes avec la pauvreté des campagnes, surtout celles de l'intérieur, où sévit désormais le chô-

Le « groupe de Shanghai »

Alors que, depuis le début des années 1990, l'influence de la Russie a été ébranlée en Asie centrale et que les États-Unis y affirment leur présence, en Afghanistan et dans les républiques ex-soviétiques, dont certaines sont riches en pétrole, la Chine marque également son influence à partir du Xinjiang.

En 1996, les dirigeants de Chine, de Russie, du Kazakhstan, du Kirghizistan et du Tadjikistan décident de se concerter régulièrement pour contrer ensemble les menaces terroristes (islamistes), les trafics illicites, et pour favoriser le développement économique de la zone. L'année suivante, une révolte, durement réprimée par les autorités de Pékin, a lieu dans le Xinjiang, ce qui relance la coopération régionale et aboutit à la constitution formelle, en 2001, du « groupe de Shanghai », rejoint alors par l'Ouzbékistan. L'objectif du groupe consiste explicitement à lutter contre « le terrorisme, le séparatisme et l'extrémisme religieux ». Des manœuvres militaires communes ont eu lieu pendant l'été 2003.

mage. L'accroissement des inégalités sociales n'est d'ailleurs pas sans inquiéter le gouvernement, notamment parce que le chômage affecte aussi d'anciens centres industriels qui ont été construits loin des côtes pour des raisons stratégiques (quand on craignait la guerre) ; des ouvriers sous-employés, membres du Parti communiste, dénoncent l'évolution de la société.

Certaines villes rassemblent désormais plus de 40 % de la population totale : Shanghai dépasse les 15 millions d'habitants ; Pékin, les 10 millions ; l'agglomération de Tianjin approche les 10 millions ; celle de Hongkong, les 7 millions.

Un des grands atouts de la croissance économique chinoise est l'importance des réserves charbonnières, et surtout leur relative facilité d'extraction. Un grand nombre de gisements houillers sont formés de couches épaisses et très peu profondes, ce qui permet de les exploiter à ciel ouvert, comme des carrières. Mais existent des gisements plus profonds, exploités dans des conditions précaires, surtout lorsque les capitalistes privés ne veulent pas investir dans des équipements de sécurité. La Chine croyait avoir d'importants gisements pétroliers (dans l'ouest), mais ceux-ci se sont épuisés plus rapidement que prévu. Or, la circulation automobile se développe très rapidement. Aussi faut-il faire de plus en plus appel aux importations.

Les compagnies pétrolières chinoises, en multipliant leurs efforts, ont obtenu des contrats et des concessions au Moyen-Orient, en Asie centrale, en Amérique latine et en Afrique (Soudan, Angola).

Les besoins de l'industrie chinoise sont tels qu'ils ont provoqué au plan mondial une multiplication par trois des prix de l'acier et des métaux non ferreux. Les dirigeants chinois multiplient les visites dans les pays africains pour y trouver des matières premières, mais aussi des débouchés aux produits chinois et des contrats pour de grands travaux. Avec les capitaux et le matériel chinois arrive une main-d'œuvre plus efficace et meilleur marché que la main-d'œuvre africaine. En novembre 2006, le président chinois a réuni 48 chefs d'État africains à Pékin pour discuter avec eux de leurs nouvelles relations.

La Chine est d'ores et déjà une très grande puissance : sa croissance entraîne désormais toute la croissance économique mondiale (5 % par an en moyenne) ; les moyens financiers des banques chinoises sont désormais considérables, et ce sont elles, grâce à leurs prêts, qui soutiennent la valeur du dollar. Quant à elles, l'armée et la marine chinoises sont aussi en pleine modernisation. La question de Taïwan continue toutefois de se poser, car les dirigeants chinois veulent achever « l'unification de la Chine ». ■

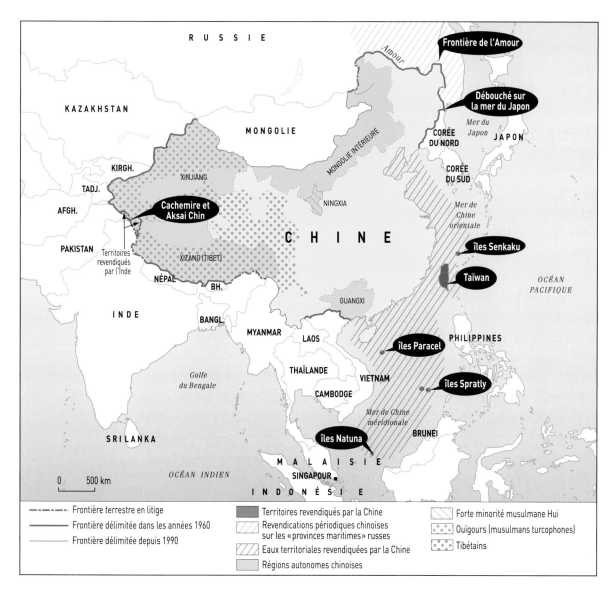

Map labels:
RUSSIE · Amour · KAZAKHSTAN · MONGOLIE · MONGOLIE INTÉRIEURE · Frontière de l'Amour · Débouché sur la mer du Japon · CORÉE DU NORD · Mer du Japon · JAPON · CORÉE DU SUD · KIRGH. · TADJ. · XINJIANG · AFGH. · NINGXIA · Cachemire et Aksai Chin · Mer de Chine orientale · PAKISTAN · Territoires revendiqués par l'Inde · XIZANG (TIBET) · C H I N E · îles Senkaku · NÉPAL · BH. · Taïwan · OCÉAN PACIFIQUE · INDE · GUANGXI · BANGL. · MYANMAR · LAOS · PHILIPPINES · SrLANKA · THAÏLANDE · VIETNAM · îles Paracel · Golfe du Bengale · CAMBODGE · îles Spratly · SRI LANKA · Mer de Chine méridionale · BRUNEI · îles Natuna · OCÉAN INDIEN · M A L A I S I E · SINGAPOUR · I N D O N É S I E · 0 500 km

Legend:
- Frontière terrestre en litige
- Frontière délimitée dans les années 1960
- Frontière délimitée depuis 1990
- Territoires revendiqués par la Chine
- Revendications périodiques chinoises sur les «provinces maritimes» russes
- Eaux territoriales revendiquées par la Chine
- Régions autonomes chinoises
- Forte minorité musulmane Hui
- Ouïgours (musulmans turcophones)
- Tibétains

↗ Litiges frontaliers et revendications territoriales.

Officiellement, la Chine affirme n'avoir qu'un «développement pacifique» et elle n'entretient aucun différend majeur avec ses voisins, qu'il s'agisse de la Russie, avec qui elle fut opposée, au temps du communisme, par une sévère rivalité, du Vietnam, opposant traditionnel, ou de l'Inde. Avec celle-ci, les rapports se sont réchauffés depuis 2002, quand New Delhi a confirmé que «le Tibet est une région autonome de la République populaire de Chine» et s'est engagé à interdire aux exilés tibétains de mener des activités séparatistes depuis ou sur son territoire. Rejetant l'expression de «Méditerranée asiatique» pour désigner la mer de Chine, Pékin y revendique une forte extension de la limite de ses eaux territoriales et s'oppose au Vietnam, aux Philippines, à la Malaisie, à l'Indonésie et au Japon pour la possession de plusieurs îlots. Au-delà de ces différends relativement mineurs, certains s'inquiètent de la montée de la tension sino-japonaise, du jeu de Pékin vis-à-vis de la Corée du Nord et de la Russie et, surtout, de la persistance de son conflit avec Taïwan.

Le Japon, des ambitions géopolitiques limitées

Le Japon offre plusieurs originalités géopolitiques : celle d'être un très ancien État d'une grande unité culturelle et un État-archipel. Le Japon est surtout le seul État non européen à avoir entrepris de façon très autonome sa révolution industrielle au XIXᵉ siècle. De ce fait, il présente toutes les caractéristiques d'un « pays développé ». Le Japon comme l'Allemagne après leur défaite de 1945, se sont redressés.

La guerre de Corée (1950-1953) changea l'avenir du Japon. Craignant qu'il ne soit lui aussi gagné par l'idéologie communiste, les Américains aidèrent l'économie à se relever. Le Japon signa un traité qui le plaçait sous la protection militaire des États-Unis. Les groupes industriels japonais purent se reconstituer et commencèrent même à exporter leur production vers les États-Unis. Le niveau de vie des Japonais s'est progressivement amélioré, et Tokyo, avec 31 millions d'habitants, forme la plus grande agglomération urbaine du monde. L'essor de son économie a été tel que le Japon est devenu la deuxième puissance économique mondiale. Cependant, la crois-sance économique du Japon s'est beaucoup ralentie depuis une quinzaine d'années. L'évolution démographique est devenue négative, du fait d'une très faible natalité. Les grandes entreprises japonaises ont délocalisé leurs usines dans les pays asiatiques et ceux-ci sont aussi devenus des concurrents industriels. La grande question qui se pose aujourd'hui au Japon est celle de ses relations avec la Chine. Celles-ci ne sont pas bonnes en effet, car les Chinois n'ont pas oublié les atrocités de l'armée japonaise lors de la Seconde Guerre mondiale. Pour l'heure, l'essor économique de la Chine est soit une opportunité économique pour le Japon, qui pourrait y investir des capitaux et y vendre du matériel, soit au contraire une concurrence redoutable. Se pose aussi la question de la mer de Chine et de la Méditerranée asiatique que traversent constamment les navires japonais. Le Japon soutient de surcroît le gouvernement de Taïwan. Mais la Chine entend exercer le contrôle de ces étendues marines jusqu'à plus de 1 000 km de ses côtes les plus méridionales. La montée

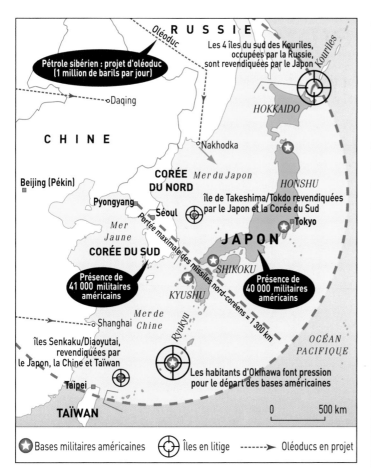

Oléoduc

R U S S I E

Les 4 îles du sud des Kouriles, occupées par la Russie, sont revendiquées par le Japon

Kouriles

Pétrole sibérien : projet d'oléoduc (1 million de barils par jour)

Daqing

HOKKAIDO

C H I N E

Nakhodka

Beijing (Pékin)

CORÉE DU NORD *Mer du Japon*

HONSHU

Pyongyang

Sèoul

île de Takeshima/Tokdo revendiquées par le Japon et la Corée du Sud

Mer Jaune

Tokyo

J A P O N

CORÉE DU SUD

Portée maximale des missiles nord-coréens = 1 300 km

SHIKOKU

Présence de 41 000 militaires américains

Présence de 40 000 militaires américains

KYUSHU

Mer de Chine

Shanghai

Ryukyu

OCÉAN PACIFIQUE

îles Senkaku/Diaoyutai, revendiquées par le Japon, la Chine et Taïwan

Taipei

Les habitants d'Okinawa font pression pour le départ des bases américaines

TAÏWAN

0   500 km

⭐ Bases militaires américaines   ⊕ Îles en litige   ----> Oléoducs en projet

↑ **L'équation géopolitique japonaise.** Les différends territoriaux du Japon avec la Russie, la Corée ou la Chine sont en vérité secondaires et cantonnés à la revendication de quelques îles et îlots. En revanche, la situation géopolitique du Japon est loin d'être paisible entre la Chine proche de plus en plus puissante et les États-Unis si présents dans la vie économique, politique et militaire nipponne. Pékin soupçonne toujours Tokyo de vouloir contrecarrer ses intérêts (concurrence pour le pétrole russe, appui japonais à Taïwan, ce qui exaspère la Chine) et l'accuse d'être le porte-avion en Asie des États-Unis. D'autant que ces derniers poussent Tokyo à sortir de la réserve diplomatique et militaire observée depuis 1945. Dans ce contexte, la menace nucléaire nord-coréenne peut être agitée en sous-main par la Chine si celle-ci juge que son rival nippon dépasse la mesure.

en puissance de l'armée et de la flotte de guerre chinoises inquiète le Japon. Les discours ultranationalistes de certains groupes chinois incitent les Japonais à se demander si, en cas de crise, les États-Unis se risqueront dans une épreuve de force avec la Chine. En prévision, les dirigeants japonais songent désormais à se doter de la force nucléaire, puisque la Chine en dispose depuis 1971. ∎

Le Japon en chiffres

Superficie (en km²)	377 829
Population [1]	128 085 000
Densité	339
Taux de natalité (pour 1 000 habitants) [2]	9,2
Taux de mortalité (pour 1 000 habitants) [2]	8
Taux d'accroissement naturel (en % de la population totale) [2]	0,17
Produit national brut (en milliards de dollars) [2]	4 360,8
PNB/hab. en parité de pouvoir d'achat [2]	28 450
Structure du produit intérieur brut : part de l'agriculture [3]	1,3
Structure du produit intérieur brut : part de l'industrie [3]	30,7
Structure du produit intérieur brut : part des services [3]	68
Effectifs des forces armées régulières [2]	239 900
Part du budget de la Défense dans le produit intérieur brut [2]	0,98

1 : 2005   2 : 2003   3 : 2002

L'Indonésie : au carrefour des civilisations et de l'islam

Du point de vue géopolitique, il n'est pas sans intérêt d'envisager ce grand État asiatique qu'est l'Indonésie – le plus peuplé des pays musulmans (215 millions d'habitants) – dans ses rapports plus ou moins conflictuels avec la Chine, dans le contexte de ce vaste ensemble maritime que l'on peut dénommer la « Méditerranée asiatique » et que les Chinois tiennent à appeler mer de

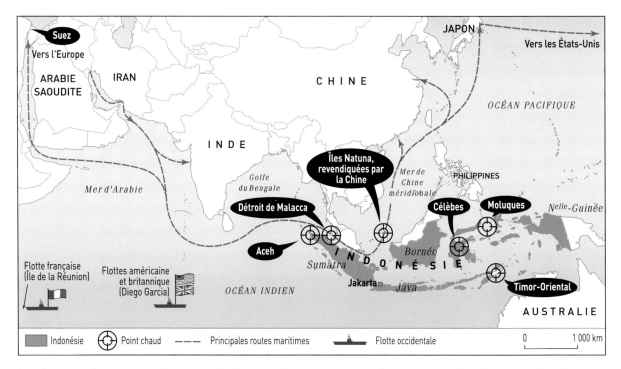

Le plus grand pays musulman du monde. Marquée par de nombreux indépendantistes, depuis le Timor-Oriental à l'est jusqu'à la région de l'Aceh à l'ouest de Sumatra, l'Indonésie connaît depuis les années 1990 une islamisation rapide de sa vie politique.

Parviendra-t-elle à maintenir sa tradition d'islam modéré, c'est là un grand enjeu pour le pays musulman le plus peuplé du monde. Elle contrôle le détroit de Malacca, un des plus importants points de passage du commerce maritime de la planète, dont la largeur

se réduit à moins de trois kilomètres entre Singapour et Sumatra. Les craintes d'un blocage, notamment par des organisations islamistes, de cette voie de passage essentielle, sont telles que croisent à distance des navires de guerre occidentaux, indiens et chinois.

Chine du Sud. Pékin prétend étendre ses eaux territoriales jusqu'aux parties méridionales de cette mer de Chine – c'est-à-dire jusqu'à l'île de Natuna qui, entourée de gisements de gaz en eaux très peu profondes, relève de la Malaisie et de l'Indonésie. En revanche, celles-ci tiennent absolument à exercer le plus largement possible leur contrôle stratégique sur la grande voie de circulation internationale qui relie le Moyen-Orient au nord-est de l'Asie et au Japon et qui passe par le détroit de Malacca en bordure de l'île indonésienne de Sumatra. ■

L'Indonésie en chiffres

Superficie (en km²)	1 919 443
Population (1)	222 781 000
Densité	116
Taux de natalité (pour 1 000 habitants) [2]	21
Taux de mortalité (pour 1 000 habitants) [2]	7,5
Taux d'accroissement naturel (en % de la population totale) [2]	1,26
Produit national brut (en milliards de dollars) [2]	173,5
PNB/hab. en parité de pouvoir d'achat [2]	2 310
Structure du produit intérieur brut : part de l'agriculture [3]	17,5
Structure du produit intérieur brut : part de l'industrie [3]	44,5
Structure du produit intérieur brut : part des services [3]	38
Effectifs des forces armées régulières [2]	302 000
Part du budget de la Défense dans le produit intérieur brut [2]	0,99

1 : 2005   2 : 2003   3 : 2002

Le détroit de Malacca

C'est un couloir maritime situé entre la Malaisie et l'Indonésie, reliant l'océan Indien à la mer de Chine. Long de 800 km, il se rétrécit dans le détroit de Singapour, pour ne faire plus que 2,8 km de large. Il constitue une artère maritime essentielle, absorbant un passage quotidien de quelque 300 navires (au total, près de 25 % du commerce maritime mondial). Par ce détroit transite le transport entre l'Europe, le Moyen-Orient et l'Asie. Il est vital pour le Japon : une grande part de ses exportations vers l'Europe et le pétrole qu'il reçoit du Moyen-Orient passent à travers ce couloir. L'Indonésie et la Malaisie ont l'une et l'autre longtemps considéré le détroit de Malacca comme relevant de leur souveraineté et souhaitaient pouvoir contrôler son trafic en imposant le droit du « passage innocent », c'est-à-dire non stratégique. Les Américains, pour leur part, voulaient y voir appliquer le droit international maritime, sans contrôle des pays riverains. Les Chinois, qui craignaient pendant la guerre froide un encerclement militaire par les flottes soviétique et américaine, soutenaient les prétentions indonésiennes et malaises. Un compromis est trouvé en 1982, à l'occasion de la signature de la fameuse convention de Montego Bay, qui, notamment, établit la liberté d'accès au détroit tout en accordant aux États riverains des garanties en matière de sécurité et de souveraineté nationale.

Depuis le début des années 1990, la Chine a développé sa présence militaire dans la région, en installant discrètement des bases des deux côtés du détroit, ce qui lui permet de contrôler les flux maritimes entre les deux océans. Les États-Unis ne sont pas restés inertes face à cette situation, surtout après le 11 septembre 2001. Les marines nationales américaine et indienne ont ainsi notablement intensifié leurs patrouilles communes dans le détroit de Malacca. Celui-ci est à tout point de vue une zone géopolitique explosive, où se concentrent, notamment dans sa partie la plus étroite, tous les risques de confrontation entre États et d'attentats islamiques, sans oublier les attaques de pirates, très nombreux dans la région.

L'Union indienne : l'unité dans la diversité

Il est intéressant de comparer l'Inde et la Chine, ne serait-ce que parce qu'elles sont voisines et s'étendent de part et d'autre de la chaîne de l'Himalaya (voir carte p. 90) et que ce sont – et de beaucoup – les deux États les plus peuplés de la planète, chacun comptant plus d'un milliard d'hommes et de femmes – au troisième rang, les États-Unis ne comptent que 300 millions d'habitants.

Mais, comparer, c'est aussi tenir compte des différences : pour une population comparable, l'Inde est trois fois moins vaste que la Chine, où les deux tiers du territoire sont faiblement peuplés. D'autre part, la population de l'Inde s'accroît encore rapidement, ce qui n'est plus le cas de la Chine depuis des décennies. Mais la principale différence entre ces deux États est que la Chine a une très forte unité culturelle, les Hans formant 90 % de la population, alors que l'Inde

L'Inde en chiffres

Superficie (en km²)	3 287 263
Population (1)	1 103 371 000
Densité	336
Taux de natalité (pour 1 000 habitants) [2]	24,6
Taux de mortalité (pour 1 000 habitants) [2]	8,8
Taux d'accroissement naturel (en % de la population totale) [2]	1,55
Produit national brut (en milliards de dollars) [2]	570,8
PNB/hab. en parité de pouvoir d'achat [2]	2 880
Structure du produit intérieur brut : part de l'agriculture (3)	22,7
Structure du produit intérieur brut : part de l'industrie (3)	26,6
Structure du produit intérieur brut : part des services (3)	50,7
Effectifs des forces armées régulières [2]	1 325 000
Part du budget de la Défense dans le produit intérieur brut [2]	2,79

1 : 2005   2 : 2003   3 : 2002

→ **La mosaïque indienne.** Les fortes densités de population dans l'Union indienne se trouvent dans la plaine indo-gangétique et sur les côtes, dans les vallées et les plaines côtières. On peut observer que, outre le Cachemire en grande majorité musulman, les pourcentages de populations musulmanes sont relativement forts sur la côte occidentale de l'Inde, qui, depuis des siècles, est en contact maritime avec les villes de l'Arabie du Sud et du golfe Persique. La proportion des musulmans indiens est aussi relativement importante au Bengale occidental, c'est-à-dire à l'ouest de l'État surpeuplé et exclusivement musulman qu'est le Bangladesh.

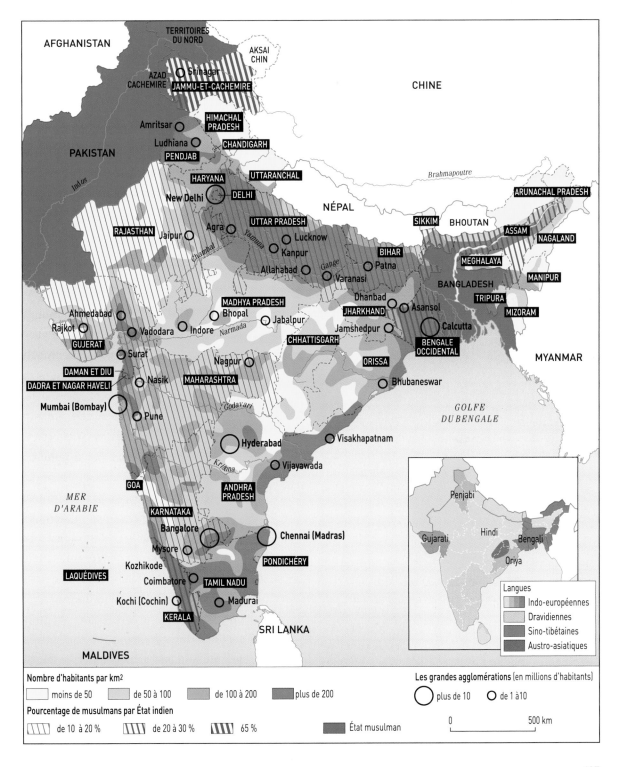

AFGHANISTAN

TERRITOIRES
DU NORD

AKSAI
CHIN

CHINE

AZAD
CACHEMIRE

○ Srinagar

JAMMU-ET-CACHEMIRE

PAKISTAN

Indus

Amritsar ○

HIMACHAL
PRADESH

Ludhiana ○

CHANDIGARH

PENDJAB

HARYANA

UTTARANCHAL

NÉPAL

SIKKIM

BHOUTAN

ARUNACHAL PRADESH

New Delhi ○

DELHI

ASSAM

NAGALAND

RAJASTHAN

Jaipur ○

Agra ○

UTTAR PRADESH

Chambal

Yamuna

○ Lucknow

○ Kanpur

BIHAR

MEGHALAYA

MANIPUR

Allahabad ○

Gange

○ Patna

BANGLADESH

○ Varanasi

TRIPURA

Ahmedabad ○

Rajkot ○

MADHYA PRADESH

Bhopal ○

○ Jabalpur

Dhanbad
○ Asansol

○

MIZORAM

Vadodara ○

○ Indore

Narmada

JHARKHAND

Calcutta

GUJERAT

Surat ○

CHHATTISGARH

Jamshedpur ○

BENGALE
OCCIDENTAL

MYANMAR

DAMAN ET DIU

Nagpur ○

ORISSA

DADRA ET NAGAR HAVELI

Nasik ○

MAHARASHTRA

Bhubaneswar ○

Mumbai (Bombay) ○

Godavari

GOLFE
DU BENGALE

○ Pune

Hyderabad

○ Visakhapatnam

Krishna

○ Vijayawada

MER
D'ARABIE

GOA

ANDHRA
PRADESH

KARNATAKA

Bangalore

Chennai (Madras)

Mysore ○

Kozhikode

PONDICHÉRY

LAQUÉDIVES

Coimbatore ○

TAMIL NADU

Kochi (Cochin) ○

○ Madurai

KERALA

SRI LANKA

MALDIVES

Langues

Penjabi

Hindi

Bengali

Gujarati

Oriya

Indo-européennes

Dravidiennes

Sino-tibétaines

Austro-asiatiques

Nombre d'habitants par km²

moins de 50 | de 50 à 100 | de 100 à 200 | plus de 200

Pourcentage de musulmans par État indien

de 10 à 20 % | de 20 à 30 % | 65 % | État musulman

Les grandes agglomérations (en millions d'habitants)

○ plus de 10   ○ de 1 à 10

0   500 km

Brahmapoutre

offre une extraordinaire diversité : on y parle, par exemple, plus de 3 000 langues, dont la plus importante est le hindi, parlée et écrite par 400 millions de personnes. Il existe cependant un grand facteur d'unité : 80 % des Indiens sont de religion hindoue (l'islam n'est la religion que de 10 % d'entre eux, soit 100 millions de personnes, ce qui en fait le troisième ou quatrième groupe musulman au monde).

Alors que les frontières de la Chine sont très anciennes pour la plupart (le Tibet était par exemple le vassal de la Chine), celles de l'Union indienne n'ont que soixante ans. L'empire indien était certes beaucoup plus vaste (ses frontières s'étendaient en effet jusqu'à l'Afghanistan et, à l'est, au-delà du delta du Gange), mais les colonisateurs britanniques aux XVIIIe-XIXe siècles en ont repris les limites. Cet empire colonial des Indes comptait surtout des hindous, mais aussi une forte minorité de musulmans. Au début du XXe siècle, les uns et les autres ont réclamé l'indépendance, d'abord ensemble, puis séparément. Des leaders musulmans ont voulu constituer un État musulman : ainsi se forme le Pakistan (« le pays des purs ») en 1947, dans une « partition » qui se déroula dans le drame, des millions de musulmans fuyant vers des régions où l'islam était déjà prépondérant, tandis que des hindous étaient chassés de ces régions où ils étaient minoritaires.

L'Inde coloniale a donc éclaté en trois partie : l'Union indienne, où sont restés des musulmans protégés par la laïcité de la Constitution, le Pakistan au nord-ouest, qui est exclusivement musulman (144 millions d'habitants, majoritairement de langue urdu), et le Bangladesh,

Le Sri Lanka
(dénommé Ceylan à l'époque coloniale)

Cette grande île (66 000 km², 19 millions d'habitants), située au sud de l'Inde, connaît de graves problèmes géopolitiques. En effet, la population sri lankaise a, depuis l'indépendance en 1947, des relations difficiles avec la minorité tamoule (20 % environ de la population totale), qui résulte de migrations plus ou moins anciennes à partir de l'Inde du Sud, surtout du Tamil Nadu. Alors que la majorité de la population sri lankaise est bouddhiste, les Tamouls sont hindouistes. S'estimant victimes de diverses discriminations (la nationalité sri lankaise a été refusée à bon nombre d'entre eux, récemment immigrés), les Tamouls, qui se trouvent concentrés dans le nord de l'île, sur sa côte orientale et dans les montagnes centrales (où étaient situées les plantations britanniques), luttent pour la reconnaissance de leurs revendications. Des groupes extrémistes, notamment les Tigres de la libération du Tamil Elam (LTTE), mènent une lutte armée, y compris par des moyens terroristes, pour obtenir un territoire indépendant. De 1987 à 1990, le gouvernement indien envoie des troupes pour rétablir la paix, car l'agitation se répand chez les Tamouls du sud de l'Inde, mais cette intervention se solde par un échec et par l'assassinat du Premier ministre indien Rajiv Gandhi, en 1991, par des Tamouls. Malgré plusieurs phases de négociations, ce conflit ne paraît pas en voie de solution.

issu du partage du Bengale en 1971, lui aussi musulman (147 millions d'habitants sur un tout petit territoire s'étendant sur le delta du Gange et du Brahmapoutre).

Ce genre de rupture, qui s'est opérée dans le sang, aurait pu se produire aussi dans l'Union indienne, d'autant plus que son système est fédéral et qu'elle est constituée par 25 États, une partie d'entre eux, ceux du nord, ayant l'hindi comme langue majoritaire, ceux du sud parlant des langues « dravidiennes ». Certains États sont de surcroît particulièrement pauvres, et d'autres en pleine croissance économique. Tout cela aurait pu constituer des motifs de séparatisme. Or, jusqu'à présent, les mouvements séparatistes ne se sont guère développés dans l'Union indienne.

Cette stabilité résulte de la souplesse du système fédéral, bien adapté à la diversité de l'Inde. Il a été établi par le Parti du Congrès, qui autrefois a mené la lutte pour l'indépendance de l'Inde et défend les principes de démocratie et de laïcité (on dit en Inde « sécularisme »), entre autres pour protéger les musulmans. Quoique puissant, ce n'est en rien un parti unique, car l'Inde (à la différence de la Chine) est un État démocratique. Le « Congrès » est d'ailleurs parfois supplanté par le Parti hindouiste (BJP), qui veut officialiser la prépondérance de

L'Inde et la Chine : une comparaison géopolitique

Alors que la civilisation chinoise se caractérise par une étonnante unité culturelle et géopolitique, avec une même écriture et une sorte de laïcité générale, le monde indien offre au contraire une étonnante diversité non seulement de langues, mais aussi de religions dont le rôle temporel et sociétal est considérable tant au niveau collectif qu'individuel. Cela s'est traduit durant des siècles par un morcellement politique qu'un pouvoir impérial n'est jamais parvenu à surmonter durablement.

Depuis la fin du XVIIIᵉ siècle, les évolutions politiques de l'Inde et de la Chine ont été extrêmement différentes. L'Inde est passée progressivement, et sans grande résistance, sous la domination coloniale britannique et sa décolonisation s'est finalement opérée en accord avec la métropole au lendemain de la Seconde Guerre mondiale.

À l'inverse, la Chine est restée indépendante, mais elle a connu depuis le milieu du XIXᵉ siècle une succession de grandes insurrections paysannes, de guerres civiles entre nationalistes et communistes, puis l'invasion japonaise et, après 1945, de nouveau la guerre civile. L'instauration du communisme a été encore suivie par vingt-cinq ans de luttes internes au sein du parti unique, avant qu'il renonce discrètement à la collectivisation et à l'étatisation de l'industrie pour permettre un développement économique de type capitaliste.

En revanche, l'évolution politique de l'Union indienne depuis son indépendance a été beaucoup plus calme, le pluripartisme et la multiplication des États fédérés ayant permis de gérer les tensions internes. Les séparatismes ne se manifestent guère pour le moment, malgré les différences linguistiques entre les différentes parties du pays. Mais la montée du nationalisme hindouiste aggrave la tension avec les musulmans (10 à 12 % de la population totale), plus ou moins dispersés dans de nombreuses régions. L'essor économique et surtout industriel de la Chine est considérable depuis vingt ans. Celui de l'Inde est moins spectaculaire, mais il prend progressivement de l'ampleur, faisant de ce pays le deuxième poids lourd en devenir du continent asiatique.

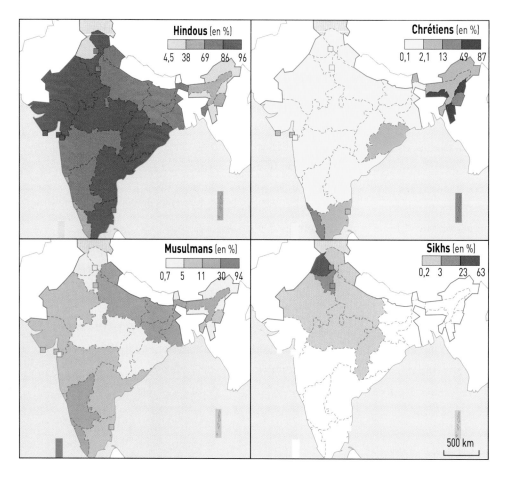

Les religions en Inde. Plus de 80 % de la population indienne est hindoue. Alors que le parti du Congrès ne s'est jamais réclamé directement de cette religion, son rival nationaliste hindou, le BJP (au pouvoir entre 1998 et 2004), n'a pas hésité à attiser un moment la rivalité des hindouistes avec les musulmans. Avec 100 millions de fidèles (10% de la population), ceux-ci représentent la troisième communauté musulmane du monde. Ils sont généralement plus pauvres que la moyenne nationale, et en majorité ruraux. Les chrétiens sont environ 20 millions, en majorité dans le Sud. Au nombre de 16 millions, les sikhs sont concentrés dans l'État du Pendjab. Revendiquant la création d'un État sikh, ils provoquèrent des violences meurtrières lors des années 1970 et 1980, allant jusqu'à assassiner le Premier ministre Indira Gandhi en 1984. En 2004, l'accession au poste de Premier ministre de l'Union indienne de Manmohan Singh qui est sikh semble marquer un apaisement des passions.

la religion hindouiste. Les hindouistes sont organisés en différentes castes, et un des puissants facteurs d'unité de l'Inde est sans doute le rôle des castes dirigeantes, notamment celle des brahmanes (les plus instruits), influents dans tous les États et préoccupés par l'unité de l'Inde.

Grâce au maintien de cette unité, non par la force, mais par une gestion démocratique depuis l'indépendance, l'Union indienne a pu faire face à de nombreuses difficultés, notamment la terrible famine qui sévit en 1942 (surtout au Bengale). Aujourd'hui, bien qu'elle soit trois fois plus peuplée qu'en 1947, l'Inde n'a, depuis des décennies, plus connu de famine, même s'il existe encore une sous-alimentation chronique et des périodes de disette.

L'Inde n'a toutefois pas encore réussi à freiner sa croissance démographique, et les dirigeants (comme Indira Gandhi) qui ont cherché à imposer une limitation des naissances ont été récusés. Cette croissance n'est pas sans poser des problèmes, agricoles aussi bien qu'hydrauliques. Mais les classes moyennes, qu'elle touche également, disposent d'un certain pouvoir d'achat. Elles forment un marché de quelques centaines de millions de consommateurs, ce qui permet à des entreprises indiennes de produire de plus en plus de biens de consommation et d'équipement. Par ailleurs, l'État mène une politique de grands travaux (hydraulique, autoroutes) et veille au développement de ses forces armées (industrie nucléaire) pour faire face au Pakistan et surtout à la Chine. L'Inde (comme le Pakistan) possède ainsi une force de frappe nucléaire. Ce dynamisme s'est accompagné d'un attachement particulier à l'éducation et à la recherche. De ce fait, des centaines de milliers de jeunes Indiens et Indiennes sont devenus d'habiles informaticiens, et nombre d'entre eux sont désormais recherchés par des entreprises occidentales. Qui plus est, de grands groupes industriels indiens rachètent leurs concurrents européens et américains. L'Inde est en voie de devenir une très grande puissance. ∎

Les points chauds du globe

L'Afrique des points chauds

L'Afrique dont il est question est surtout celle qui s'étend au sud du Sahara ; on l'appelle l'Afrique tropicale ou, plus couramment, l'Afrique noire. C'est, grosso modo, les deux tiers de la superficie du continent ; elle représente près des trois quarts de sa population. Depuis des décennies, les médias en évoquent la « pauvreté chronique », marquée périodiquement par la famine dans de nombreuses régions. Depuis une dizaine d'années, précisément depuis le génocide perpétré en 1994 au Rwanda, s'ajoutent à cette image les récits de nombreuses atrocités, lesquelles font chaque année des dizaines de milliers de victimes. Ces tragédies se répercutent d'un pays à l'autre, sans que les enjeux et les protagonistes puissent en être clairement perçus. Ce sont ce que l'on appelle couramment des « conflits ethniques », qui éclatent localement dans la plupart des pays d'Afrique noire entre des peuples voisins dont les caractéristiques ethniques sont plus ou moins différentes. Ces conflits ont plusieurs origines.

Des séquelles de la décolonisation et de la « guerre froide »

En Afrique tropicale, les nombreuses colonies françaises et britanniques ont eu la chance d'être « décolonisées » d'un coup, avant même que s'y développent de grandes luttes pour l'indépendance. À la fin des années 1950, les gouvernements français et britannique estimèrent qu'il était préférable de confier le pouvoir à des Africains « modérés » pour mener avec eux des politiques de coopération. Cela fut aussi le cas au Congo belge, mais les grandes compagnies minières crurent habile de soutenir un mouvement africain séparatiste. Il en résulta une guerre civile vers 1960, qui eut pour effet d'attiser les rivalités ethniques. Dans les colonies portugaises, l'Angola, le Mozambique et la Guinée-Bissau, le gouvernement portugais se refusa à une politique de décolonisation ; aussi les luttes pour l'indépendance durèrent-elles de 1960 à 1975, continuant même encore vingt ans en Angola.

La lutte d'influence entre l'URSS et les États-Unis se déroula aussi dans le nord-

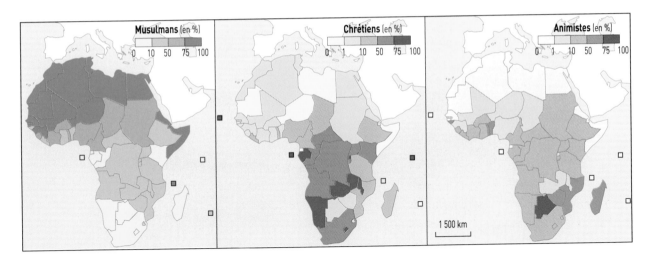

↑ **Les religions en Afrique.** Traditionnellement considérée comme une terre de tolérance religieuse, l'Afrique subsaharienne voit sa situation évoluer fortement à cet égard depuis quelques années. Le radicalisme musulman tend à s'étendre, notamment au Nigeria, tandis que les Églises chrétiennes se livrent entre elles à une nette concurrence. Celle-ci marque, d'une certaine façon, un recul de l'influence européenne catholique, notamment de la France, au profit des Églises évangélistes américaines. En Côte d'Ivoire, le conflit interne entre le Nord, majoritairement musulman, et le Sud, chrétien et animiste, ne saurait être considéré comme une « guerre de religion », même si le défunt président Houphouët-Boigny avait voulu marquer en son temps la prépondérance chrétienne avec l'érection de la basilique de Yamoussoukro (inaugurée en 1990).

L'Afrique en chiffres

Nombre d'États	42 États (en comptant le Sahara occidental)
Population	800 millions d'habitants
Pays les plus peuplés	Nigeria (117 millions d'habitants), Égypte (70 millions) Éthiopie (65 millions) Afrique du Sud (45 millions)
Plus forts PNB/ habitant en dollars internationaux (2002)	Afrique du Sud (10 900) Namibie (7 410) Botswana (7 400) Tunisie (6 090) Algérie (5 910) Gabon (5 190)

est de l'Afrique : l'Éthiopie, que l'on peut considérer comme un bastion chrétien entouré de pays musulmans, fut longtemps soutenue par les États-Unis. L'URSS soutenait pour sa part la Somalie musulmane et les révolutionnaires musulmans d'Érythrée qui combattaient pour se libérer des Éthiopiens. Mais l'empereur d'Éthiopie fut renversé en 1974 par une révolution marxiste, soutenue par les Soviétiques. Du coup, les Américains soutinrent les combattants érythréens. Une guerre très dure opposa ensuite, de 1998 à 2000, Érythréens et

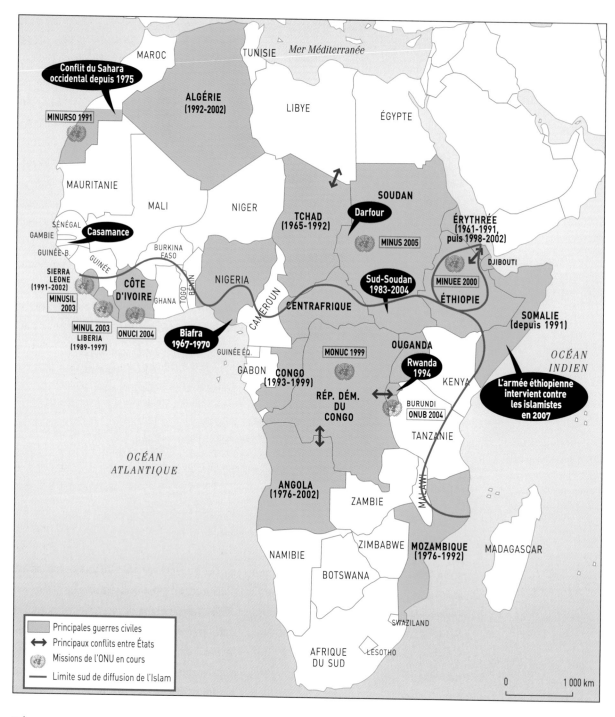

MAROC TUNISIE *Mer Méditerranée*

Conflit du Sahara occidental depuis 1975

MINURSO 1991

ALGÉRIE (1992-2002) LIBYE ÉGYPTE

MAURITANIE

MALI NIGER

SÉNÉGAL **Casamance**
GAMBIE
GUINÉE-B.
BURKINA FASO
GUINÉE

SOUDAN
TCHAD (1965-1992) **Darfour**
MINUS 2005

ÉRYTHRÉE (1961-1991, puis 1998-2002)
DJIBOUTI
MINUEE 2000

SIERRA LEONE (1991-2002)
MINUSIL 2003
CÔTE D'IVOIRE
GHANA
TOGO
BÉNIN
NIGERIA
CAMEROUN
CENTRAFRIQUE
Sud-Soudan 1983-2004
ÉTHIOPIE

MINUL 2003
LIBERIA (1989-1997)
ONUCI 2004
Biafra 1967-1970
GUINÉE ÉQ.

SOMALIE (depuis 1991)

OCÉAN INDIEN

GABON
CONGO (1993-1999)
MONUC 1999
OUGANDA
Rwanda 1994
KENYA
L'armée éthiopienne intervient contre les islamistes en 2007

RÉP. DÉM. DU CONGO
BURUNDI
ONUB 2004

OCÉAN ATLANTIQUE

TANZANIE

ANGOLA (1976-2002)
ZAMBIE
MALAWI

ZIMBABWE
MOZAMBIQUE (1976-1992)
MADAGASCAR

NAMIBIE
BOTSWANA

SWAZILAND

AFRIQUE DU SUD
LESOTHO

Principales guerres civiles
Principaux conflits entre États
Missions de l'ONU en cours
Limite sud de diffusion de l'Islam

0   1 000 km

Éthiopiens, ceux-ci voulant retrouver un débouché sur la mer Rouge.

La multiplication des « conflits ethniques » et le génocide au Rwanda

En Afrique tropicale se multiplient des luttes plus ou moins graves, opposant des peuples autochtones voisins les uns des autres, sans que des puissances étrangères y jouent un rôle important.

C'est le cas au Nigeria, dans le delta du Niger, où l'exploitation du pétrole suscite de multiples rivalités locales. En Afrique de l'Est, aux abords des Grands Lacs, au Soudan, en Somalie, au Congo, mais aussi en Afrique de l'Ouest, au Liberia, en Sierra Leone, il s'agit de conflits bien plus graves. Ces conflits sont avant tout internes, opposant des populations plus ou moins voisines, parfois imbriquées les unes aux autres, comme les Tutsis et les Hutus au Rwanda. En 1994, la crise politique qui sévissait depuis des décennies dans ce très petit État surpeuplé (8,3 millions d'habitants sur 26 000 km^2, soit 320 habitants au km^2) s'est transformée en génocide (800 000 morts), des fanatiques hutus ayant décidé d'exterminer les Tutsis, le groupe minoritaire. Ces derniers, ayant repris le pouvoir grâce à l'aide de l'Ouganda, l'État voisin, ont pourchassé leurs adversaires jusqu'au Congo. Ce vaste pays a ensuite connu, par une série de contrecoups, des interventions militaires de multiples États plus ou moins proches de ses frontières.

La poussée islamiste et les rivalités pétrolières

En Afrique de l'Ouest, la fameuse guerre du Biafra opposa, de 1967 à 1970, le gouvernement du Nigeria aux Ibo, ceux-ci se lançant dans une tentative de sécession pour se réserver les gisements de pétrole que l'on venait de découvrir dans le delta du Niger. Depuis les années 1980, les tensions internes au Nigeria peuvent être pour une grande part expliquées par un mouvement géopolitique d'envergure mondiale : la poussée de partis islamistes. Au Nigeria, ceux-ci

↖ **1985-2005 : 20 ans de guerres et de guerres civiles.**
La fin des guerres d'indépendance n'a pas apaisé pour autant le continent africain. Outre des conflits comme celui qui a opposé l'Éthiopie et l'Érythrée, le principal conflit interétatique a eu lieu au centre de l'Afrique, dans l'ex-Zaïre. Ce conflit, très meurtrier et fort complexe, sont d'ailleurs des guerres civiles, que ce soit au Rwanda ou au Zaïre même. Les autres conflits sont, pour la plupart, des guerres civiles, à dominante ethnique comme au Burundi, au Rwanda ou au Soudan, à dominante politico-économique comme en Angola ou en Côte d'Ivoire. Le poids croissant de l'Afrique du Sud fait espérer l'émergence d'une sorte de « juge de paix » continental, mais, notamment en Côte d'Ivoire, ce rôle n'a pu encore se concrétiser.

s'appuient sur la masse des musulmans du Nord – notamment les Haoussa – pour imposer la charia aux populations du Sud, qui sont par ailleurs plus ou moins rivales les unes des autres, celles du Sud-Est étant chrétiennes, alors que celles du Sud-Ouest, les Yorouba, sont musulmanes, mais rivales des Haoussa. On peut considérer qu'il en est de même au Soudan depuis les années 1960 et surtout les années 1980. Mais le pétrole n'est pas sans rapport avec ce conflit, car d'importants gisements ont été découverts dans le sud du pays. Après qu'un accord eut enfin été établi entre le gouvernement central soudanais et celui du Sud, pour un partage équitable des revenus du pétrole, une insurrection contre le gouvernement soudanais a éclaté en 2003 au Darfour, dans le sud-ouest du pays, bien que les populations noires y soient musulmanes. L'enjeu est là aussi le partage des futurs revenus du pétrole, dont l'exploitation se développe rapidement grâce à l'intervention massive des Chinois. On craint que la guerre au Darfour ne devienne un génocide.

Qu'ils soient des séquelles des guerres coloniales ou se combinent avec la poussée islamiste, les conflits que connaissent les États d'Afrique noire sont d'abord des conflits internes et se déroulent entre des forces locales ou régionales qui correspondent pour la plupart à des groupes dont les particularités ethniques sont plus ou moins marquées. D'où l'expression de « conflits ethniques », qui est employée dans les médias occidentaux.

Les conséquences encore actuelles de la traite des esclaves

Pour expliquer ces conflits, il faut tenir compte de l'extrême diversité ethnique et linguistique de l'Afrique tropicale (on y parlerait plus de 2 000 langues) et des conséquences de la traite des esclaves qui y eut cours jusqu'à la fin du XIXe siècle.

On peut constater que, depuis une quinzaine d'années, les conflits ethniques ont tendance à se multiplier et à s'aggraver. Cela peut être expliqué dans une grande mesure par la très forte croissance démographique. L'accentuation et la multiplication des rivalités ethniques résultent aussi de facteurs politiques récents. Dans chaque État africain, depuis son indépendance, le pouvoir a ainsi été exercé par des hommes politiques qui se sont tous appuyés sur le groupe ethnique dont ils étaient issus. Leurs rivalités politiciennes ont eu pour conséquence d'attiser les tensions entre ces groupes. On peut donc craindre que les conflits ethniques n'aient tendance à s'accentuer. Cela n'est pourtant pas inéluctable, comme le prouve l'évolution de l'Afrique du Sud.

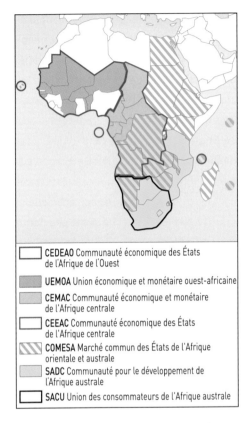

CEDEAO Communauté économique des États de l'Afrique de l'Ouest

UEMOA Union économique et monétaire ouest-africaine

CEMAC Communauté économique et monétaire de l'Afrique centrale

CEEAC Communauté économique des États de l'Afrique centrale

COMESA Marché commun des États de l'Afrique orientale et australe

SADC Communauté pour le développement de l'Afrique australe

SACU Union des consommateurs de l'Afrique australe

↗ **Les organisations régionales africaines.** Alors que l'Union africaine (UA), qui a remplacé en 2002 l'Organisation de l'unité africaine (OUA), peine à affirmer son influence, ne disposant pas d'une réelle autonomie par rapport aux États membres, les organisations africaines sous-régionales semblent jouer un rôle plus significatif. Ainsi, la CEDEAO (Communauté économique des États d'Afrique de l'Ouest) s'est impliquée dans les conflits du Liberia, de la Sierra Leone et de la Côte d'Ivoire.

Le miracle en Afrique du Sud

Dans ce pays d'Afrique, les antagonismes ethniques étaient certes très forts au sein de la population noire, non seulement parce qu'avant la conquête européenne des guerres avaient été terribles entre peuples africains pour capturer des esclaves, mais aussi parce que la minorité blanche monopolisait le pouvoir. Au milieu du XXe siècle, celle-ci décida de refouler les populations noires chacune sur un petit territoire, prétendument pour qu'elles puissent se développer séparément, tout comme les Blancs se tenaient séparés des Noirs ; cette stratégie fut dénommée apartheid. Elle visait aussi à attiser les conflits territoriaux entre les différents peuples noirs. Aussi les conflits ethniques en Afrique du Sud auraient pu être terribles, non seulement entre Noirs et Blancs, mais aussi et surtout entre Noirs.

Or, le scénario catastrophe que l'on pouvait craindre dans les années 1980 ne s'est pas produit. Cela tint à la clairvoyance et à la sagesse des dirigeants de l'ANC, l'*African National Congress,* et notamment de Nelson Mandela, lesquels ont refusé tout antagonisme sur une base ethnique ou raciale, pour s'opposer au système raciste des théoriciens de l'apartheid. Cela étant, durant les années 1980, les Zoulous, qui for-

↑ La crise ivoirienne.

Le 19 septembre 2002, la rébellion des Forces nouvelles éclate dans le nord du pays. Quelques jours plus tard, la France dépêche des troupes pour séparer les antagonistes et la CEDEAO (Communauté économique des États de l'Afrique de l'Ouest) décide d'œuvrer pour le retour de la paix en Côte d'Ivoire. Au début de 2003, les représentants du gouvernement de Laurent Gbagbo et de la rébellion nordiste signent à Marcoussis (près de Paris) un accord politique. En mars, l'ONU vote la résolution 1479 sur l'envoi d'une force de paix dans le pays, la MINUCI (Mission des Nations unies en Côte d'Ivoire). En 2004 et 2005, plusieurs missions de bons offices, notamment de la part du dirigeant sud-africain Thabo Mbeki, tentent en vain de concilier les deux parties opposées. À l'automne 2005, le président Gbagbo est autorisé par l'ONU à reporter d'un an l'élection présidentielle. En 2007, la situation est en train d'évoluer.

ment le peuple le plus important d'Afrique du Sud (8 millions de personnes), furent pourtant appelés par leur roi et son parti, l'Inkatha, à réclamer un État zoulou sous protectorat blanc. Mais nombre d'entre eux refusèrent cette solution et se rallièrent à l'ANC pour participer à la lutte globale contre l'apartheid.

L'Afrique du Sud a donc échappé à une tragédie qui était autant programmée qu'annoncée. Avec son 1,2 million de km², ses 50 millions d'habitants, dont 80 % de Noirs, ce pays apparaît du point de vue économique comme la grande puissance africaine, en raison du fait que l'exploitation des mines d'or et de diamant a été accompagnée – fait exceptionnel – du développement d'un grand nombre d'industries. Mais tout n'est pas réglé pour autant, et les contradictions se développent au fur et à mesure que l'on s'éloigne du miracle de l'indépendance et de la fin de l'apartheid. L'Afrique du Sud est ainsi l'un des pays les plus touchés par l'épidémie du sida. ∎

La Méditerranée, une longue zone de tensions

La mer Méditerranée, qu'entourent vingt-sept États et qui s'étend d'ouest en est sur 4 000 km entre le sud de l'Europe et le nord de l'Afrique, est de nos jours une zone de très graves tensions géopolitiques. Dans l'ensemble méditerranéen, pour y voir plus clair, on peut d'abord distinguer la côte nord et la côte sud, puis établir une différence entre la partie occidentale et la partie orientale. Les problèmes géopolitiques de la partie ouest du bassin méditerranéen sont relativement simples : c'est le contraste Nord/Sud, entre des pays économiquement développés au nord et des pays sous-développés au sud, pays de culture musulmane, où la croissance démographique est encore forte.

Les complications géopolitiques du Moyen-Orient

La Méditerranée n'a pas seulement une bordure européenne au nord et une bordure africaine au sud, elle en a une troisième à l'est, qui est celle du continent asiatique : c'est ce que l'on appelle le Moyen-Orient. Là, les problèmes géopolitiques sont devenus extrêmement compliqués et conflictuels. Ils se répercutent vers l'ouest, aussi bien en Europe occidentale que dans le nord-ouest de l'Afrique, dans ce que l'on appelle les pays du Maghreb (ce qui veut dire « l'Ouest »).

Le problème israélo-palestinien n'est toujours pas réglé. Les territoires palestiniens que l'armée israélienne avait occupés en 1967 et qu'elle devait en principe évacuer (mais où de nombreuses colonies juives se sont depuis implantées) ne sont toujours pas gouvernés par l'Autorité palestinienne. Celle-ci a pourtant été internationalement reconnue en 1993 comme la base d'un futur État palestinien. Non seulement, depuis longtemps dans tous les pays arabes, l'opinion a pris fait et cause pour les Palestiniens, mais en République islamique d'Iran, bien que celle-ci ne soit pas de culture arabe, l'actuel président proclame qu'il « faut rayer Israël de la carte » et qu'il pourra bientôt le faire avec des fusées à longue portée. À ces tensions se sont ajoutées les graves difficultés que rencontre l'armée américaine en Irak,

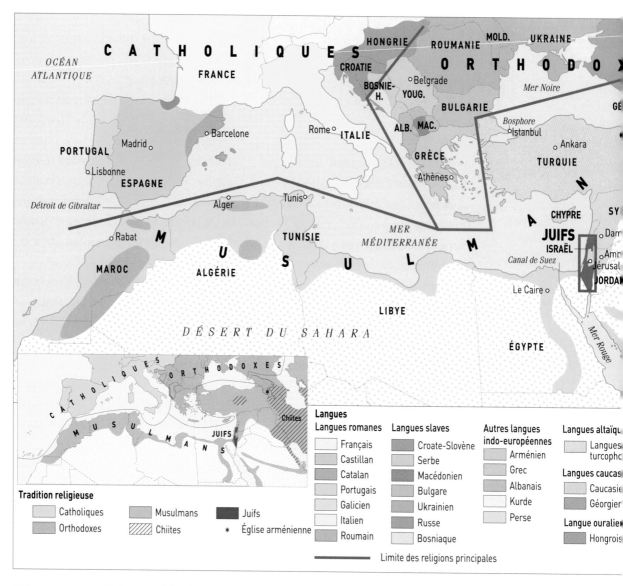

↗ Langues et religions sur le pourtour de la Méditerranée. La Méditerranée, dite euro arabe (ou euro musulmane, pour tenir compte de la Turquie), s'étend sur 4 000 kilomètres d'ouest en est. Elle est considérée comme une des zones géopolitiques les plus conflictuelles au monde. On y retrouve les éléments d'une opposition Nord/Sud, pays développés/pays en voie de développement, mais aussi les ferments d'antagonismes religieux (chrétienté, islam, judaïsme), entre le Nord et le Sud, mais également au sein de la partie nord (ex-Yougoslavie), de différends territoriaux (ex-Yougoslavie, Israël/Palestine), sans oublier de fortes tensions migratoires (sud de l'Espagne et de l'Italie).

Langues chamito-
sémitique

- Arabe
- Berbère
- Hébreu

Langue basque
- Basque

qu'elle a envahi en 2003 pour y extirper tout foyer islamiste, afin de protéger les États-Unis d'un nouveau «11-Septembre». Ces problèmes géopolitiques complexes font l'objet de chapitres particuliers.

GÉOPOLITIQUE DU MAGHREB

À la différence des frontières entre les États du Moyen-Orient, qui sont relativement récentes (1920) et ont été pour la plupart tracées par des impérialismes étrangers, celles qui séparent les pays du Maghreb, du moins dans les régions bien peuplées, sont très anciennes. Elles ont d'ailleurs été maintenues par les colonisateurs français. Les frontières de l'actuelle Tunisie correspondent par exemple à celles de la zone contrôlée par la puissance de Carthage (qui fut fondée il y a 2 800 ans par des Phéniciens venus de l'actuel Liban). Les frontières entre l'actuelle Algérie et le Maroc remontent quant à elles au Moyen Âge.

Toutefois, le territoire de ces États du Maghreb s'étend pour une très grande part au Sahara, où les frontières n'ont été tracées qu'au début du XXe siècle. C'est surtout le cas de l'Algérie (au total, 2,4 millions de km²), mais aussi du Maroc (710 000 km²), bien que son droit de possession depuis 1975 sur sa partie saharienne (266 000 km²) – dénommée Sahara occidental – fasse l'objet de polémiques,

notamment avec l'Algérie. Celle-ci estime en effet que ce Sahara occidental (ancienne colonie espagnole) est en droit le territoire d'une République saharaouie. Cette controverse, qui n'est toujours pas réglée, malgré les efforts de l'ONU, est une des raisons pour lesquelles le projet d'Union du Grand Maghreb arabe n'a pas encore de réalité. S'ajoute aussi la rivalité entre une Algérie «démocratique et populaire» et un Maroc, royaume dont le souverain est *chérif*, c'est-à-dire descendant du Prophète.

En comparaison de ceux du Machrek (l'Est), les problèmes du Maghreb (l'Ouest) paraissent relativement simples. La question principale est de savoir

L'Algérie en chiffres

Superficie	2 380 000 km²
Population	30,8 millions d'habitants
PNB	62 milliards de dollars

Le Maroc en chiffres

Superficie	710 000 km²
Population	30,5 millions d'habitants
PNB	39,4 milliards de dollars

La Tunisie en chiffres

Superficie	164 000 km²
Population	9,6 millions d'habitants
PNB	22,2 milliards de dollars

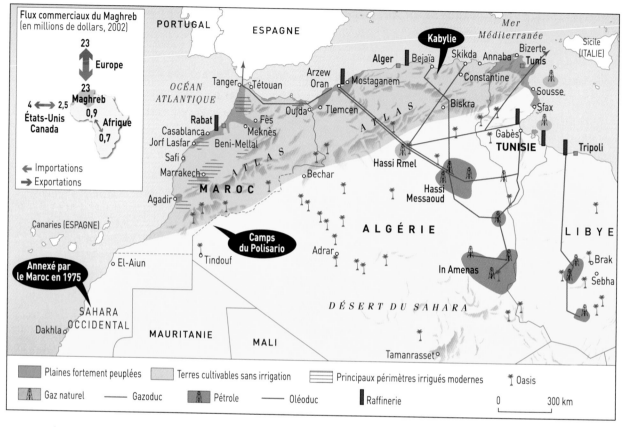

Flux commerciaux du Maghreb
(en millions de dollars, 2002)

23
Europe
23
Maghreb
4 ⟷ 2,5
États-Unis
Canada
0,9
Afrique
0,7

← Importations
→ Exportations

PORTUGAL   ESPAGNE   Mer Méditerranée   Sicile (ITALIE)

Kabylie

OCÉAN ATLANTIQUE   Tanger   Tétouan   Arzew Oran   Mostaganem   Alger   Bejaïa   Skikda   Annaba   Bizerte   Tunis   Sousse

Oujda   Tlemcen   Constantine   Sfax

Rabat   Fès   Meknès   Biskra   Gabès   TUNISIE   Tripoli

Casablanca   Beni-Mellal
Jorf Lasfar
Safi   Hassi Rmel
Marrakech   ATLAS   Hassi Messaoud

Bechar   ALGÉRIE   LIBYE

MAROC   Camps du Polisario

Agadir   Adrar   In Amenas   Brak   Sebha

Canaries (ESPAGNE)

Annexé par le Maroc en 1975   El-Aiun   Tindouf

SAHARA OCCIDENTAL   DÉSERT DU SAHARA

Dakhla   MAURITANIE   MALI   Tamanrasset

■ Plaines fortement peuplées   Terres cultivables sans irrigation   ≡ Principaux périmètres irrigués modernes   ⍦ Oasis

Gaz naturel   — Gazoduc   Pétrole   — Oléoduc   ▌Raffinerie   0   300 km

↗ L'Économie
du Maghreb

si Al-Qaida va pouvoir fortement s'implanter au Maghreb pour mener, comme elle le proclame, des opérations en France. De 1992 à 2000, l'Algérie a déjà connu une quasi-guerre civile (certes bien moindre grave que celle d'Irak) du fait qu'une organisation islamiste, le Front islamique du salut (FIS), qui avait voulu prendre le pouvoir en 1991 par des mouvements de masse (un peu comme l'avait fait Khomeiny en Iran en 1979), en fut empêchée par le pouvoir militaire. À la suite du FIS, des groupes islamistes

armés (GIA) menèrent dans les villes de nombreuses actions terroristes et organisèrent des maquis dans les montagnes aux alentours d'Alger. Malgré l'emploi de méthodes draconiennes, l'armée algérienne ne parvint pas à « éradiquer » les islamistes ; de guerre lasse, le président Bouteflika (succédant à une série de militaires) décida de leur accorder l'amnistie s'ils rendaient les armes et renonçaient aux actions violentes. Le calme s'est rétabli tant bien que mal, mais subsiste encore, notamment au Sahara, une organisation terroriste, le GSPC, qui a fait connaître son ralliement à Al-Qaida.

En Tunisie, le président Ben Ali mène depuis vingt ans une politique très autoritaire, avec l'argument de la lutte contre les islamistes. Au Maroc, le pouvoir royal s'efforce de limiter l'audience de ceux-ci, avec l'atout que le roi est « commandeur des croyants » et qu'il a le soutien des confréries religieuses traditionnelles. Mais on peut craindre que, après le départ des Américains d'Irak, la gloire dont se targuera Al-Qaida entraîne une grande vague islamiste dans l'ensemble du monde arabe.

Les francophones musulmans des deux rives de la Méditerranée

On peut estimer que ce groupe, qui parle très couramment le français et qui utilise cette langue dans le travail et dans de multiples relations sociales, constitue de 10 à 15 % de la population algérienne (environ trois millions de personnes), ce qui correspond à peu près au nombre de personnes d'origine algérienne qui sont installées en France (plus de 800 000 personnes de nationalité algérienne, plus leurs enfants et petits-enfants nés en France). Entre « francophones » d'Algérie et « Algériens de France », il y a évidemment de nombreuses relations amicales et familiales qui s'expriment pour la plupart en français, car les enfants d'émigrés ne parlent guère l'arabe ou le kabyle.

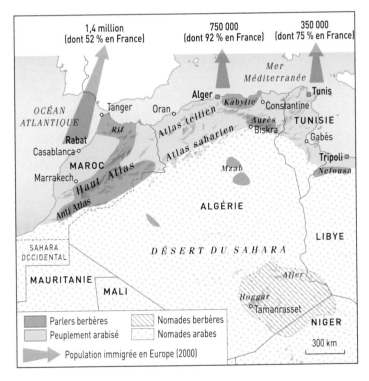

← **Maghreb-Europe : les flux de populations.** Au Maghreb, des contrastes géographiques fondamentaux s'observent entre régions sahariennes et régions côtières plus ou moins humides et, d'autre part, entre plaines et montagnes. Ces dernières correspondent aux régions où s'est surtout maintenue la langue berbère (très différente de l'arabe) et ce, davantage au Maroc qu'en Algérie. C'est aussi le cas des montagnes du Hoggar, berceau du peuplement berbère touareg.

La Bosnie-Herzégovine en chiffres

Superficie	51 100 km²
Population	4,1 millions d'habitants
PNB	6,4 milliards de dollars

La Croatie en chiffres

Superficie	56 500 km²
Population	4,7 millions d'habitants
PNB	23,9 milliards de dollars

Le Kosovo en chiffres
(région administrative de la Yougoslavie, avec la Serbie et le Monténégro)

Superficie	10 400 km²
Population	2,2 millions d'habitants (Albanais, 90 % ; Serbes, Musulmans, Monténégrins, 10 %)

La Serbie-et-Monténégro en chiffres*
* avant la partition de 2006

Superficie	102 200 km²
Population	10,5 millions d'habitants
PNB	15,8 milliards de dollars

La Slovénie en chiffres

Superficie	20 200 km²
Population	2 millions d'habitants
PNB	23,8 milliards de dollars

GÉOPOLITIQUE DES BALKANS

Le mot « balkan » désigne en bulgare une montagne couverte de forêts. Ce que les géographes ont appelé « péninsule balkanique », entre la mer Adriatique et la mer Noire, est un ensemble de pays montagneux bien plus vaste que la Grèce, qui forme le sud de cette péninsule. Vers le nord, les limites de l'ensemble balkanique sont assez imprécises. En effet, les Hongrois et les Roumains, bien qu'ils aient été aussi dominés par l'empire ottoman comme les Serbes, les Bulgares ou les Grecs, n'apprécient pas d'être classés dans les Balkans, c'est-à-dire dans un ensemble géopolitique disparate dont on a beaucoup parlé en raison des guerres qui s'y déroulent depuis plus d'un siècle, et encore tout récemment.

L'éclatement de la Yougoslavie et la guerre de Bosnie

En 1990, la Ligue des communistes yougoslaves entra en crise (au même moment que le Parti communiste de l'Union soviétique), et la Yougoslavie commença à se disloquer. En 1991, la Slovénie et la Croatie proclamèrent leur indépendance, ce que refusèrent les Serbes, lesquels entrèrent immédiatement en guerre contre les séparatistes croates.

Malgré l'envoi de « Casques bleus » de l'ONU, le drame géopolitique prit toute son ampleur lorsqu'il apparut que les limites

De l'Empire ottoman à la guerre du Kosovo.

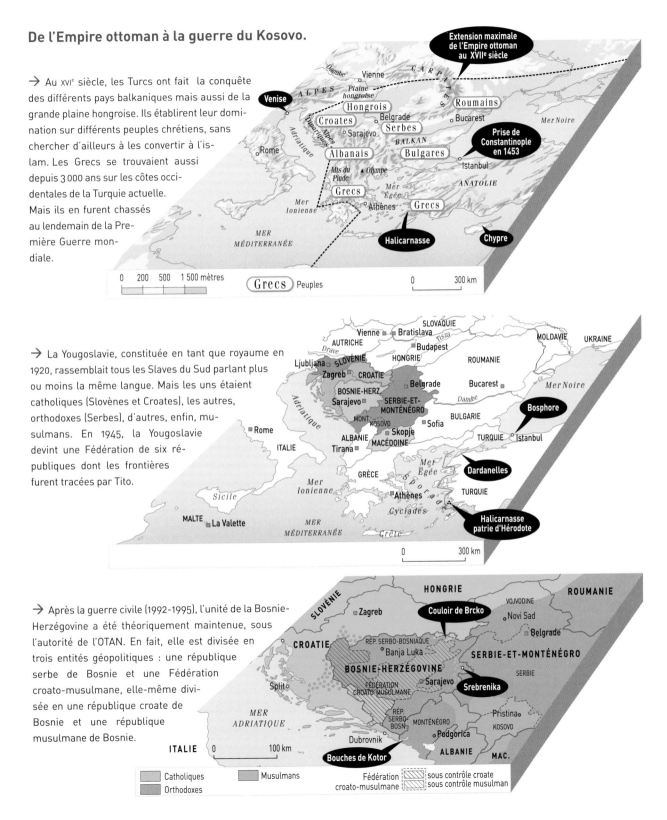

→ Au XVIe siècle, les Turcs ont fait la conquête des différents pays balkaniques mais aussi de la grande plaine hongroise. Ils établirent leur domination sur différents peuples chrétiens, sans chercher d'ailleurs à les convertir à l'islam. Les Grecs se trouvaient aussi depuis 3 000 ans sur les côtes occidentales de la Turquie actuelle. Mais ils en furent chassés au lendemain de la Première Guerre mondiale.

Extension maximale de l'Empire ottoman au XVIIe siècle

Danube — Vienne — CARPATES — ALPES — Plaine hongroise — Venise — Hongrois — Croates — Belgrade — Serbes — Roumains — Bucarest — Mer Noire — Alpes Dinariques — Sarajevo — Adriatique — Rome — BALKAN — Albanais — Bulgares — **Prise de Constantinople en 1453** — Istanbul — Mts du Pinde — Olympe — Mer Égée — ANATOLIE — Grecs — Mer Ionienne — Athènes — Grecs — **Halicarnasse** — MER MÉDITERRANÉE — **Chypre**

0 200 500 1 500 mètres

⬭ Grecs Peuples

0 300 km

→ La Yougoslavie, constituée en tant que royaume en 1920, rassemblait tous les Slaves du Sud parlant plus ou moins la même langue. Mais les uns étaient catholiques (Slovènes et Croates), les autres, orthodoxes (Serbes), d'autres, enfin, musulmans. En 1945, la Yougoslavie devint une Fédération de six républiques dont les frontières furent tracées par Tito.

SLOVAQUIE — Vienne — Bratislava — *Tisza* — MOLDAVIE — UKRAINE — AUTRICHE — Budapest — *Drave* — Ljubljana — SLOVÉNIE — HONGRIE — ROUMANIE — Zagreb — CROATIE — Belgrade — Bucarest — Mer Noire — BOSNIE-HERZ. — Sarajevo — SERBIE-ET-MONTÉNÉGRO — *Danube* — **Bosphore** — Adriatique — MONT. — KOSOVO — BULGARIE — Sofia — TURQUIE — Istanbul — Rome — ALBANIE — Skopje — ITALIE — Tirana — MACÉDOINE — Mer Égée — **Dardanelles** — GRÈCE — *Sporades* — Sicile — Mer Ionienne — Athènes — *Cyclades* — TURQUIE — *Crète* — **Halicarnasse patrie d'Hérodote** — MALTE — La Valette — MER MÉDITERRANÉE

0 300 km

→ Après la guerre civile (1992-1995), l'unité de la Bosnie-Herzégovine a été théoriquement maintenue, sous l'autorité de l'OTAN. En fait, elle est divisée en trois entités géopolitiques : une république serbe de Bosnie et une Fédération croato-musulmane, elle-même divisée en une république croate de Bosnie et une république musulmane de Bosnie.

HONGRIE — ROUMANIE — SLOVÉNIE — VOJVODINE — Zagreb — **Couloir de Brcko** — Novi Sad — Belgrade — CROATIE — RÉP. SERBO-BOSNIAQUE — Banja Luka — SERBIE-ET-MONTÉNÉGRO — BOSNIE-HERZÉGOVINE — Sarajevo — SERBIE — FÉDÉRATION CROATO-MUSULMANE — **Srebrenika** — Split — MER ADRIATIQUE — RÉP. SERBO-BOSN. — MONTÉNÉGRO — Pristina — KOSOVO — Dubrovnik — Podgorica — **Bouches de Kotor** — ITALIE — ALBANIE — MAC.

0 100 km

◻ Catholiques ◻ Orthodoxes ◻ Musulmans ◻ Fédération croato-musulmane ▨ sous contrôle croate ▨ sous contrôle musulman

territoriales accordées par Tito à la Croatie et à la Bosnie ne correspondaient guère aux limites très compliquées des différentes nationalités. En Croatie, sur la limite avec la Bosnie, se trouvaient de nombreux Serbes. En Bosnie, il y avait en majorité des Bosniaques musulmans, mais aussi des Croates et des Serbes, ces derniers refusant absolument une indépendance de la Bosnie pour ne pas être placés sous une autorité musulmane, comme au temps de l'empire ottoman. Puisque leur langue était commune, chacune des nationalités devenues antagonistes s'est définie par sa religion. À cause de leur enchevêtrement territorial, chacune d'elles a mené en Bosnie, par l'entremise de milices fanatisées, une stratégie de « purification ethnique » dans les portions de territoire qu'elle contrôlait : faire partir par tous les moyens (la terreur, l'incendie, l'assassinat) les gens d'autres religions. La ville de Sarajevo, capitale de la Bosnie où vivaient des musulmans, des Serbes et des Croates fut soumise durant des mois à des tirs systématiques de la part de milices serbes.

L'Union européenne condamna de telles atrocités, mais ce sont surtout la France et le Royaume-Uni qui envoyèrent des troupes pour tenter de s'interposer entre les combattants. En 1993, l'OTAN (et, en substance, les Américains) vint en renfort et imposa en 1995 aux trois protagonistes

→ **L'éclatement de la Yougoslavie.** La mort de Tito, en 1980, puis la chute du communisme, en 1989, précipitent l'éclatement de la Yougoslavie, telle qu'elle avait été instituée après la Première Guerre mondiale. En 1991, après que la Croatie et la Slovénie eurent proclamé leur indépendance, des combats opposent les troupes slovènes et croates à l'armée serbe de Belgrade. L'année suivante, un cessez-le-feu est proclamé et l'indépendance de la Slovénie et de la Croatie, reconnue au plan international. Cependant, de très violents affrontements continuent en Bosnie-Herzégovine, où cohabitaient jusqu'alors des populations serbe, croate et musulmane. L'ONU, les Européens et l'OTAN finissent par imposer au président serbe Slobodan Milosevic un partage de la Bosnie entre Croates et Musulmans, d'une part, Serbes, d'autre part. Cette solution est entérinée par les accords de Dayton, en novembre 1995, et elle est mise en œuvre sous le contrôle d'une force (IFOR) composée de troupes américaines, britanniques et françaises. En 1998, le président Milosevic refuse de répondre aux aspirations de la majorité albanaise du Kosovo. Un conflit l'oppose, l'année suivante, aux forces de l'OTAN, qui l'obligent à reconnaître l'autonomie de la région. L'ensemble de ces affrontements a fait plus de 200 000 victimes. Milosevic est chassé du pouvoir en octobre 2000. La Yougoslavie est désormais réduite à la Serbie, la Macédoine ayant accédé à l'indépendance en 1991 et le Monténégro ayant opté pour la sienne en mai 2006.

un partage d'une Bosnie théoriquement maintenue en trois Républiques autonomes, dont les contours s'enchevêtrent sur la carte. Cet accord n'empêcha pas *in extremis* le massacre par l'armée serbe de plusieurs milliers de musulmans à Srebrenica. Ce scandale a décidé de la création à La Haye d'un Tribunal pénal international pour les crimes de guerre en Yougoslavie.

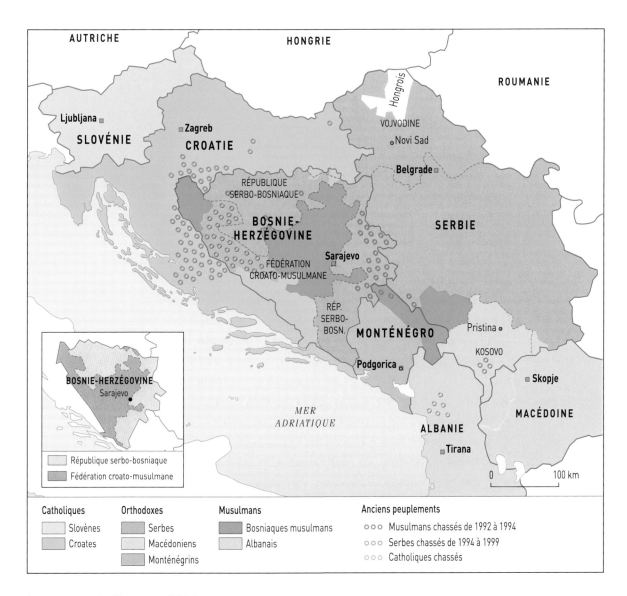

Catholiques
- Slovènes
- Croates

Orthodoxes
- Serbes
- Macédoniens
- Monténégrins

Musulmans
- Bosniaques musulmans
- Albanais

Anciens peuplements
- ○○○ Musulmans chassés de 1992 à 1994
- ○○○ Serbes chassés de 1994 à 1999
- ○○○ Catholiques chassés

La guerre du Kosovo, 1999

Durant cette guerre de Bosnie, la question du Kosovo semblait être en sommeil, quoique s'y exerçât la pression des Albanais, qui formaient désormais 90 % de la population, du fait de leur essor démographique et de l'exode des Serbes. Ces derniers refusaient pourtant de reconnaître les droits des Albanais au Kosovo, considérant que la région était un des lieux les plus sacrés de la Serbie (depuis que le roi de Serbie et le souverain ottoman s'y étaient battus à mort en 1389]. En 1998, les opérations de maquis albanais contre les Serbes entraînèrent une répression massive du gouvernement de Belgrade, ce qui fit craindre aux Occidentaux une grande opération de génocide, d'autant que près d'un million d'Albanais venaient de s'enfuir dans la Macédoine voisine. L'OTAN, après avoir lancé un ultimatum au gouvernement de Belgrade pour l'inciter à mettre fin à la répression massive au Kosovo, déclara la guerre à la Serbie en mars 1999 : la ville de Belgrade fut soumise à des raids aériens, tout comme l'armée serbe, qui se retira du Kosovo. Ce petit territoire, où les Kosovars albanais sont revenus de leur exode, est depuis occupé et administré par les forces de l'OTAN, qui s'efforcent de préserver le petit nombre de Serbes qui y subsistent. Les Kosovars albanais refusent de se rattacher à l'Albanie, qu'ils n'estiment guère, et exigent la création d'un État kosovar indépendant (10 800 km²). En 2007, l'assemblée de l'OTAN semble s'y être résolue. Ainsi la Yougoslavie a-t-elle éclaté en 9 républiques (dont 3 en Bosnie), puisque le Monténégro, pourtant peuplé de Serbes, vient de se séparer de la Serbie, peut-être pour profiter seul des revenus du tourisme côtier, la Serbie comme la Bosnie n'ayant pas de débouché sur la mer, Tito ayant attribué à la Croatie la majeure partie du littoral yougoslave.

GÉOPOLITIQUE DU MOYEN-ORIENT

On peut schématiser la bordure orientale de la Méditerranée par la présence, au nord et au sud, de deux moitiés ou de deux blocs qui s'avancent vers l'ouest : il s'agit de deux grands États, la Turquie et l'Égypte, qui comptent chacun plus de 70 millions d'habitants ; entre ces deux pôles s'insèrent quatre États littoraux ou proches du littoral, nettement plus petits : la Syrie, le Liban, la Jordanie et Israël, auxquels il convient d'ajouter la Palestine. Cet ensemble d'États plus ou moins en conflit les uns avec les autres peut être considéré comme le débouché sur la Méditerranée de ce que l'on peut appeler le grand isthme syrien (l'adjectif « syrien » apparaît dès la haute Antiquité à propos de l'Assyrie). Par la Mésopotamie, autre terme ancien (l'Irak est un nom récent), l'isthme syrien mène vers le golfe Persique(voir diatope p. 137).

Ces États côtiers (on disait autrefois le « Levant ») et la Mésopotamie forment ce que les géographes britanniques ont appelé le « Croissant fertile », pour souligner le contraste que ses paysages plus ou moins verdoyants forme avec les immensités steppiques ou désertiques de l'immense péninsule arabique. Vers le nord, celle-ci s'étend jusqu'à la Mésopotamie, où les eaux du Tigre et de l'Euphrate viennent des neiges qui couvrent l'hiver les montagnes du Taurus en Turquie.

Cet isthme syrien a une importance stratégique depuis la plus haute Antiquité, puisqu'il est le passage entre l'océan Indien et la Méditerranée. Le couloir que constitue la Mésopotamie, et son prolongement le golfe Persique, est en outre apparu, depuis le début du XXᵉ siècle, comme la plus importante zone pétrolière du monde.

La Turquie

C'est le premier pôle géopolitique au Moyen-Orient. Sa singularité est de ne pas être arabe, mais turc ; les Kurdes, qui forment la principale minorité en Turquie (15 millions de personnes), ne sont pas, non plus, des Arabes. La Turquie fait partie de l'OTAN depuis 1952, en raison de prétentions soviétiques sur des territoires turcs autrefois occupés par l'empire russe. L'armée turque a pour tâche de contribuer à la surveillance du Moyen-Orient et des détroits entre la Méditerranée et la mer Noire. Peu favorable aux Arabes, elle entretient de bonnes relations avec l'État d'Israël. Le principal souci géopolitique de la Turquie est le séparatisme des Kurdes, qui ont combattu les réformes de Mustafa Kemal et réclament depuis les années 1920 de former un État indépendant avec les Kurdes d'Irak et d'Iran. Le PKK, Parti des travailleurs du Kurdistan, qui se réclame du « marxisme-léninisme », mène depuis

La Turquie en chiffres

Population	67,7 millions d'habitants
Superficie	780 000 km²
PNB	198 milliards de dollars

1980 des opérations de guérilla dans les montagnes de l'est de l'Anatolie. Une trêve s'était établie il y a quelques années, mais le PKK a repris ses opérations depuis 2003, les Kurdes d'Irak ayant obtenu des Américains une autonomie qui leur fait espérer la reconnaissance de leur indépendance, financée par les revenus du pétrole. La guerre d'Irak, à laquelle l'armée turque a refusé de participer, jusqu'à ne pas accorder le passage à des troupes américaines, a provoqué un net virage de l'opinion turque contre les États-Unis et en faveur des islamistes et des Arabes. Ce phénomène repose en des termes nouveaux la question de l'entrée de la Turquie dans l'Union européenne.

L'opinion européenne n'est pas très favorable à l'entrée des Turcs dans l'Union européenne, quand bien même assurerait-on que la Turquie est un État laïque et que les islamistes y sont fort modérés. L'Union européenne exige d'autre part de la Turquie qu'elle modifie sur plusieurs points sa Constitution, notamment qu'elle y réduise les prérogatives de l'armée et qu'il soit renoncé aux mesures répressives contre les Kurdes. Tout cela mécon-

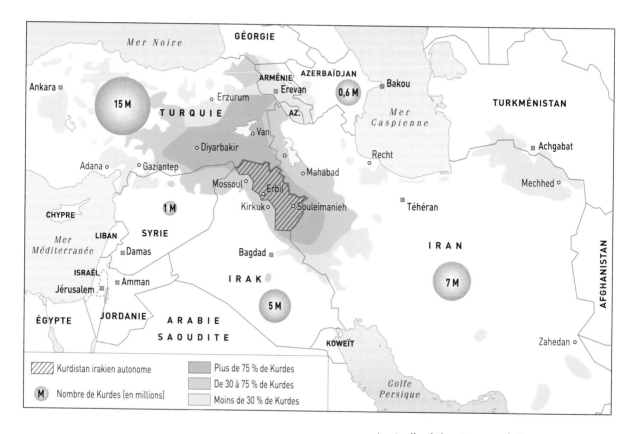

Légende :

VVVV Kurdistan irakien autonome

(M) Nombre de Kurdes (en millions)

Plus de 75 % de Kurdes

De 30 à 75 % de Kurdes

Moins de 30 % de Kurdes

↗ **Les Kurdes, un peuple écartelé.** Au nombre de 25 millions environ, les Kurdes, qui parlent une langue de la famille iranienne, espèrent toujours avoir un État à eux, tel que le traité de Sèvres (1920) le leur avait fait espérer après la Première Guerre mondiale. Principalement implantés en Turquie et en Irak, ils ont été longtemps maltraités par ces deux États.

Après la chute de Saddam Hussein en 2003, ils ont obtenu en Irak une large autonomie, sans que soit réglée pour autant la question du contrôle des riches puits de pétrole de la région. Par ailleurs, Ankara craint une contagion de l'exemple irakien sur les Kurdes de Turquie.

tente l'opinion turque, à l'exception des milieux d'affaires, pour eux très favorables à l'entrée de la Turquie dans l'Union européenne, et celle-ci caresse de nouveau l'idée d'une Turquie bien plus tournée vers l'Est, c'est-à-dire vers les nombreux pays turcophones ex-soviétiques du Caucase (Azerbaïdjan) et d'Asie centrale (Kazakhstan, Turkménistan, Ouzbékistan), lesquels sont de surcroît de gros producteurs de pétrole et de gaz. Avec les détroits, la Turquie tient d'ailleurs la porte de sortie de la mer Noire, même si le passage des gros pétroliers par le

Bosphore, au milieu de l'agglomération d'Istanbul, est jugé désormais trop dangereux. La Turquie est aussi le passage vers la Méditerranée des oléoducs venus de la mer Caspienne et des gazoducs venus d'Iran, et bientôt du Turkménistan.

L'Égypte

C'est le second pôle géopolitique du Moyen-Orient. Située entre le Maghreb et le Machrek, l'Égypte est le centre du monde arabe. Avec ses 75 millions de personnes, elle compte deux fois plus d'habitants que le Maroc ou l'Algérie, et trois fois plus que l'Irak. C'est aussi, depuis des siècles, le centre culturel historique du monde arabe.

Après la mort de Nasser (1970), le président Sadate invita les Soviétiques à quitter l'Égypte, ce qu'ils firent sans problème. Puis, fier du fait d'armes de l'armée égyptienne sur le canal de Suez lors de la guerre du Kippour (1973), Sadate se rapprocha discrètement des Américains, et c'est avec leur soutien qu'il se rendit en 1977 à Jérusalem pour proposer la paix aux Israéliens, moyennant la restitution à l'Égypte de la péninsule du Sinaï, qu'ils occupaient depuis 1967 (et l'engagement secret de ne pas aller jeter une bombe atomique sur le barrage d'Assouan, ce qui aurait anéanti en aval la population égyptienne). Le traité de paix entre Israël et l'Égypte fut signé en 1979 sous l'égide des États-Unis. Ceux-ci sont désormais le plus grand soutien du pays, à qui ils accordent une aide financière et alimentaire considérable.

Les Frères musulmans soutinrent d'abord la révolution de Nasser contre le Wafd, mais ils entrèrent bientôt en conflit avec lui pour sa politique socialisante, visant à faire l'unité du monde arabe contre l'Arabie saoudite. Ils furent soutenus par celle-ci et y trouvèrent un temps refuge. En Égypte, ils entretiennent dans les milieux intellectuels un état d'esprit plus ou moins favorable aux attentats terroristes perpétrés contre les touristes occidentaux, ce qui est un moyen de chantage sur l'État, dont les moyens financiers, outre l'aide américaine, viennent pour une bonne part des rentrées touristiques et des revenus du canal de Suez.

Le président Moubarak, qui a succédé à Sadate, cherche à éviter un affrontement direct avec les Frères musulmans ; aussi a-t-il accepté qu'ils aient plusieurs sièges au Parlement. Cependant, l'influence islamiste est devenue prépondérante, non seulement dans les milieux populaires, mais aussi chez les enseignants, les fonc-

L'Égypte en chiffres

Superficie	1 000 000 km²
Population	69,1 millions d'habitants
PNB	94 milliards de dollars

tionnaires et les intellectuels. Les relations des Frères musulmans et d'Al-Qaida sont probablement proches, puisque Zawahiri le second de Ben Laden est un médecin égyptien membre des Frères musulmans. La proclamation d'une grande victoire islamiste, lors d'un retrait prochain des troupes américaines d'Irak, risque d'entraîner en Égypte et ailleurs de grandes manifestations populaires, qui pourraient bien provoquer la chute des dirigeants en place, surtout s'ils sont ouvertement les alliés des États-Unis.

La série des petits États du Proche-Orient

Entre la Turquie et l'Égypte s'alignent sur 600 km, le long d'une côte nord-sud, cinq petits États plus ou moins rivaux les uns des autres : le plus grand est au nord la Syrie (185 000 km², 16 millions d'habitants), le plus petit est la Palestine (5 900 km²), qui comprend la Cisjordanie et la bande de Gaza, mais n'a pas encore les prérogatives d'un État ; la majeure partie de son territoire est occupée par l'armée israélienne. À l'exception d'Israël, ces États sont tous de langue arabe ; leur complexité religieuse est plus ou moins importante, notamment au Liban (10 000 km², 3,6 millions d'habitants), où l'on compte de très nombreux groupes chrétiens (maronite, orthodoxe, arménien) et musulmans (sunnite, chiite, druze).

La Syrie, tête de pont de l'Iran sur la Méditerranée

Le plus vaste de ces petits États est donc la Syrie, dont le territoire est, pour une grande part, désertique. Juste à l'est de montagnes côtières, Damas fut au Moyen Âge la capitale du premier empire arabe, l'empire omeyyade, et les dirigeants syriens en sont toujours fiers. Ce sont eux qui, durant la Première Guerre mondiale, ont mené la révolte contre les Turcs ; ils ont fort mal accepté de passer ensuite sous autorité française et d'être à cette occasion séparés du Liban. Depuis les années 1920, les Syriens

Le Liban en chiffres

Superficie	10 400 km²
Population	3,6 millions d'habitants (musulmans : 63 %, dont chiites entre 29 et 32 %, sunnites entre 16 et 20 % et druzes 3,5 % chrétiens : 37 %)
PNB	18,2 milliards de dollars

La Jordanie en chiffres

Superficie	92 000 km²
Population	5 millions d'habitants
PNB	9,8 milliards de dollars

La Syrie en chiffres

Superficie	185 000 km²
Population	16,6 millions d'habitants
PNB	20,2 milliards de dollars

Les pays de l'isthme « syrien » et de la péninsule arabique.

→ On peut appeler isthme « syrien », du nom du célèbre Empire assyrien qui s'est développé deux mille ans avant notre ère en Mésopotamie, l'espace situé entre la Méditerranée et le golfe Persique, d'où les navires gagnaient ensuite les Indes. Avant même qu'il soit question de pétrole, l'importance de cet isthme était considérable en raison des caravanes qui le traversaient. Au nord des déserts, elles longeaient le verdoyant « croissant fertile » formé par la Mésopotamie et, à l'ouest, par les hauteurs bien arrosées du Liban et de la Palestine.

→ Depuis la dislocation de l'Empire ottoman, l'isthme « syrien » est la partie géopolitiquement la plus complexe du Moyen-Orient, avec, à l'ouest, six nations qui sont impliquées dans le problème israélo-palestinien et, à l'est, six ou sept entités nationales ou religieuses dont les rivalités sont accentuées par les enjeux pétroliers et par la guerre d'Irak.

→ Vue de près, la région apparaît encore plus compliquée, puisque les territoires de très nombreuses communautés religieuses s'y enchevêtrent. En Syrie, très majoritairement sunnite, la petite minorité alaouite (une des tendances du chiisme), originaire d'une montagne proche de la côte méditerranéenne, exerce le pouvoir depuis des décennies. Les réfugiés palestiniens (sunnites et chrétiens) se trouvent surtout en Jordanie et au Liban, mais les Israéliens ont implanté de multiples « colonies » au milieu des Palestiniens de Cisjordanie.

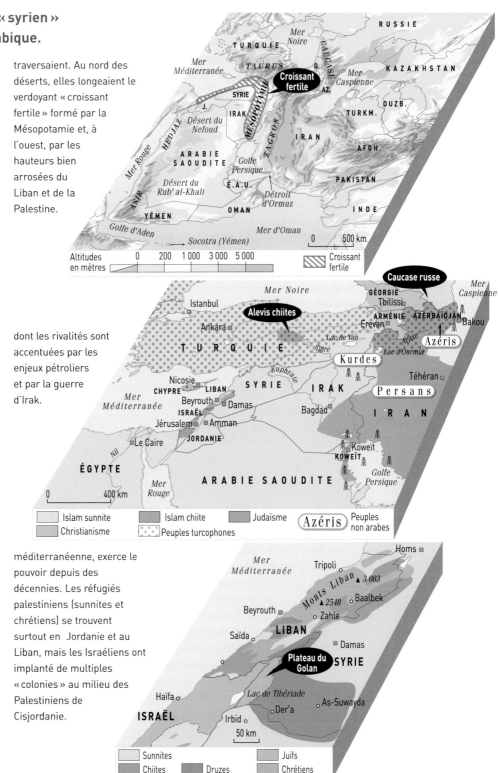

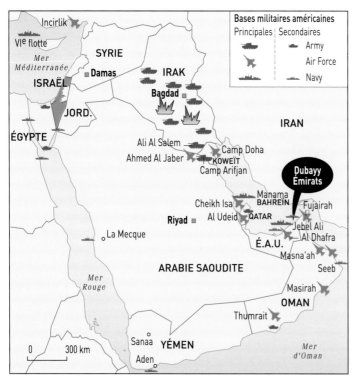

Bases militaires américaines
Principales | Secondaires
— Army
— Air Force
— Navy

Incirlik
VIᵉ flotte
Mer Méditerranée
SYRIE
Damas
IRAK
ISRAËL
Bagdad
JORD.
ÉGYPTE
IRAN
Ali Al Salem
Ahmed Al Jaber
Camp Doha
KOWEÏT
Camp Arifjan
Dubayy Émirats
Cheikh Isa
Manama
BAHREÏN
Fujairah
Riyad
Al Udeid
QATAR
Jebel Ali
Al Dhafra
É.A.U.
La Mecque
Masna'ah
Seeb
ARABIE SAOUDITE
Masirah
Mer Rouge
OMAN
Thumrait
0   300 km
Sanaa
YÉMEN
Mer d'Oman
Aden

↗ **La présence militaire américaine dans la région du Golfe.**

Lors de la guerre du Golfe, en 1991, la coalition américaine comptait près de 500 000 hommes. Douze ans plus tard, le corps expéditionnaire envoyé en Irak n'est que de 130 000 soldats, appuyés sur des flottes et des bases dans une grande partie de la région (Arabie saoudite, Koweit, émirats). À l'été 2003, les Américains annoncent qu'ils vont démanteler leurs bases en Arabie saoudite (près de 7 000 hommes), la présence de celles-ci ayant justifié la colère de nombre de musulmans qui ne supportaient pas la présence de soldats étrangers sur la terre sainte de l'islam.

L'Arabie Saoudite en chiffres

Superficie	2 150 000 km²
Population	21 millions d'habitants
PNB	208 milliards de dollars

n'ont cessé de vouloir rétablir leur unité avec ce petit pays voisin.

Partisans de l'unité du monde arabe, nombre de Syriens ont soutenu le parti Baath, qui fondamentalement voulait faire cette unité. En 1967, après une nouvelle défaite contre l'armée israélienne, des militaires du parti Baath prirent le pouvoir en Syrie et en Irak. Cela aurait pu réaliser l'unité des deux États, mais très vite les dirigeants du Baath syrien (dirigé par Hafez el-Assad) entrèrent en conflit avec ceux du Baath irakien (dirigé par Saddam Hussein). Les Syriens n'ont jamais vraiment soutenu les efforts des Palestiniens pour retrouver un territoire et, lorsque ceux qui s'étaient réfugiés au Liban tentèrent d'y prendre le pouvoir, ils entrèrent dans le pays pour soutenir la communauté chrétienne maronite (1976), puis participèrent à une guerre civile compliquée qui dura quinze ans. Les Syriens n'ont enfin quitté le Liban qu'en 2005, sous la pression internationale, mais ils tentent encore d'y revenir avec l'aide de l'Iran. Les liens entre la Syrie et l'Iran remontent à 1980, lorsque Saddam Hussein entra en guerre contre ce dernier. Pour manifester davantage sa rivalité avec l'Irak, la Syrie, pourtant en grande majorité sunnite, mais dirigée par une petite minorité chiite, apporta son soutien aux Iraniens chiites. Ceux-ci ont ensuite soutenu la Syrie, qui est devenue aujourd'hui une tête de pont iranienne sur la Méditerranée. Les Syriens, qui occupaient le Liban, ont servi d'intermédiaire entre l'Iran, la grande puissance chiite, et le parti chiite libanais, le Hezbollah qui combat Israël. En juillet 2006, lors de la guerre qui a opposé l'armée israélienne et les combattants du Hezbollah, ceux-ci ont fait usage contre Israël de nombreux missiles fournis par l'Iran par l'intermédiaire de la Syrie.

Le Liban, toujours divisé par les rivalités religieuses

C'est sur le mont Liban (3 000 mètres) que s'est concentré le groupe des chrétiens maronites, de tradition catholique, alors que les autres communautés chrétiennes de la Méditerranée orientale sont orthodoxes. Les Arabes maronites sont depuis longtemps soutenus par la France ; ce sont eux qui sont à l'origine de la création du Liban, après la disparition de l'empire ottoman. Mais le Liban compte aussi un grand nombre d'autres communautés religieuses, des Arabes druzes, eux aussi dans les montagnes, des Arabes sunnites, plutôt dans les villes, des Arabes chrétiens orthodoxes et des Arabes chiites, dont les convictions religieuses sont proches de celles des Iraniens. Lorsque le Liban était sous mandat français, une sorte de règlement constitutionnel a été établi pour officialiser la hiérarchie de ces

↑ Le Liban de la plaine et le Liban de la montagne. Très ancien carrefour de civilisations, le Liban connut sous l'Antiquité les colonisations grecque et romaine, surtout dans la plaine côtière. Au VIIᵉ siècle, la conquête arabe entraîna tout d'abord une chute du commerce méditerranéen et le repli vers la montagne des communautés chrétiennes et druzes. Ainsi, au Liban plus qu'ailleurs, le relief comme l'histoire expliquent profondément les réalités du présent.

différentes communautés à la tête de l'État : le président du Liban doit être maronite ; le Premier ministre, sunnite ; le président du Parlement, chiite…

Malheureusement, la reconnaissance officielle des droits de ces diverses communautés, chacune divisée en grandes familles rivales, a eu pour effet d'empêcher l'unification de l'État, lequel est resté très faible. L'armée libanaise n'existe guère. De plus, les chiites, qui étaient les moins nombreux et les plus pauvres, sont devenus le groupe le plus important, les maronites étant pour beaucoup partis faire fortune à l'étranger. S'ajoute à ces rivalités la présence des Palestiniens réfugiés après 1948 et la fondation de l'État d'Israël. En 1975, une guerre civile a éclaté, qui devait durer quinze ans, durant lesquels les Syriens se sont installés au Liban, nouant des alliances éphémères successives avec chacune des milices rivales que toutes les communautés religieuses ont constituées pour se défendre. Ces milices n'ont accepté de déposer leurs armes qu'en 1990, à l'exception de celle du parti chiite islamiste Hezbollah. C'est lui qui avait le plus combattu le raid que l'armée israélienne avait lancé sur Beyrouth en 1982 et la présence de celle-ci au Sud-Liban jusqu'en 2000. Avec le soutien des Iraniens et des Syriens, ce parti islamiste est devenu la principale force politique libanaise et la

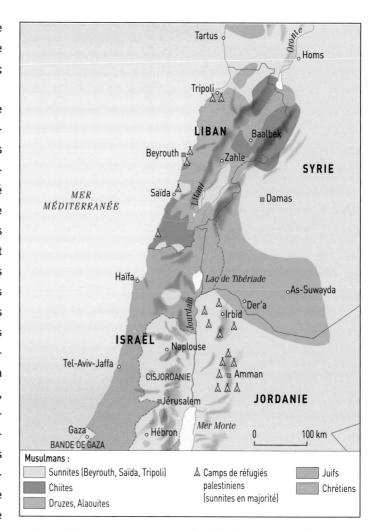

Musulmans :

- Sunnites (Beyrouth, Saïda, Tripoli)
- Chiites
- Druzes, Alaouites
- ⚄ Camps de réfugiés palestiniens (sunnites en majorité)
- Juifs
- Chrétiens

↗ **Les religions au Liban.**
Les chrétiens libanais (divisés en douze Églises, dont les maronites, francophones et relevant du Vatican, et les grecs orthodoxes, anglophones) sont majoritairement implantés dans la montagne, au nord du pays et à Beyrouth (notamment les grecs orthodoxes). Les musulmans sont divisés entre les Druzes (de rite ismaélien), bien implantés dans le Chouf, au sud de Beyrouth, les sunnites, davantage urbanisés (Beyrouth, Saïda, Tripoli) et liés aux secteurs les plus dynamiques de l'économie et les chiites, majoritaires, plus ruraux et implantés dans le sud du pays, dans la plaine de la Bekaa et dans la banlieue sud de Beyrouth.

force armée la plus efficace au Liban. La confrontation entre Israël et le Hezbollah a déclenché la guerre du Liban de l'été 2006, qui a révélé la puissance des influences que l'Iran exerce désormais sur les rivages de la Méditerranée.

Le royaume de Jordanie, héritage britannique

Lors de la Première Guerre mondiale, les dirigeants britanniques, pour mobiliser les Arabes contre l'empire ottoman, lancèrent l'idée d'un Grand Royaume arabe s'étendant sur tout le Machrek, à la tête duquel ils mettraient un souverain de la famille des Hachémites, l'une des plus illustres de La Mecque. Ce projet ne put se réaliser, en raison des visées françaises sur le Liban et la Syrie. Aussi les Anglais créèrent-ils deux royaumes avec chacun un roi hachémite : celui d'Irak (la révolution de 1958 y instaura la république d'Irak) et celui auquel ils donnèrent initialement le nom de Transjordanie, parce qu'il s'étendait du désert à la Méditerranée, de part et d'autre de la vallée du Jourdain. Ce pays pour l'essentiel désertique ne comptait que 800 000 habitants en 1961 ; il en compte dix fois plus aujourd'hui du fait de l'afflux des Palestiniens et de leur forte croissance démographique. Des groupes armés palestiniens tentèrent de prendre le pouvoir à Amman, la capitale, en 1970, mais en

furent chassés par les Bédouins de l'armée, restée fidèle au roi.

Il s'agissait d'Hussein de Jordanie, qui régnera de 1953 jusqu'à sa mort en 1999. Ce fut d'abord le « petit roi », en raison de sa petite taille et surtout de son extrême jeunesse (il avait 17 ans), car il était encore au collège quand les Anglais le firent succéder à son père défaillant. Ce fut un souverain avisé, habile, qui, avec le soutien discret des Britanniques, sut gérer les problèmes avec Israël, quoique son royaume fût de plus en plus peuplé de Palestiniens. Il proposa à ces derniers une fédération jordano-palestinienne, mais, faute de pouvoir s'entendre avec l'Organisation de libération de la Palestine, il renonça en faveur de celle-ci à tous ses droits sur la Cisjordanie en 1988. Hussein signa en 1994 un traité de paix avec Israël, aussitôt dénoncé par les Palestiniens et les Frères musulmans, fort actifs en Jordanie. Pour son fils Abdallah, qui lui a succédé, les difficultés à surmonter risquent d'être encore plus grandes, du fait notamment de l'intervention américaine en Irak. En raison du chaos qui y règne en effet, la Jordanie est devenue un espace sécurisé pour les Américains, bien que les réseaux d'Al-Qaida y soient aussi implantés celui qui fut leur chef en Irak, le fameux Al Zarkaoui (du nom de la ville jordanienne de Zarka), en provenait d'ailleurs. ■

Israël-Palestine

Bien qu'il porte sur des territoires de petites dimensions (Israël s'étend sur 400 km du nord au sud et n'excède pas 20 km de large dans sa partie la plus étroite ; la Cisjordanie s'étend sur 150 km du nord au sud et ne fait pas plus de 50 km de large), le problème israélo-palestinien est très grave par ses répercussions internationales. Pour y voir plus clair, on peut commencer par décrire le terrain, les formes du relief où il s'inscrit. Celles-ci sont très particulières. En effet, un étroit, long et profond fossé d'effondrement, au fond duquel se trouve la vallée du Jourdain et la mer Morte, tranche du nord au sud un ensemble de plateaux d'environ mille mètres d'altitude, qui, à l'est, se prolongent vers le désert de Syrie et l'Arabie. Tout cela est bien connu, puisqu'il en est beaucoup question dans la Bible.

Les premières implantations sionistes dans la plaine côtière

Lorsque, fuyant l'antisémitisme d'Europe centrale et les pogroms d'Europe orientale, les premiers Juifs sionistes arrivèrent en Palestine, dans la seconde moitié du XIXe siècle, pour s'y réimplanter, avec l'accord de l'empire ottoman, c'est dans la plaine côtière marécageuse et autour du lac de Tibériade qu'ils purent acheter des terres inoccupées à cause du paludisme. Celles-ci leur furent vendues par les notables des villes ou des villages situés sur les plateaux. Les Juifs, fiers de cultiver enfin la terre (en Europe, ils n'eurent, longtemps, pas le droit d'en posséder), furent appelés des « colons » ; poussés par un idéal socialiste, ils créèrent des villages collectifs, les kibboutz. Les morts y furent nombreux à cause du paludisme. Après la disparition de l'empire ottoman, le Proche-Orient passa sous mandat britannique, et les relations devinrent bientôt exécrables entre les sionistes et les Anglais. Ces derniers, qui se méfiaient

Israël en chiffres

Superficie	21 000 km²
Population	6 172 000
Densité	296
Taux de natalité (pour 1 000 habitants)	21,48
Taux de mortalité (pour 1 000 habitants)	6,16
Produit national brut (en milliards de dollars)	109
PNB/hab. en parité de pouvoir d'achat	16 750
Effectifs des forces armées régulières	173 500
Part du budget de la Défense dans le produit intérieur brut	6,7

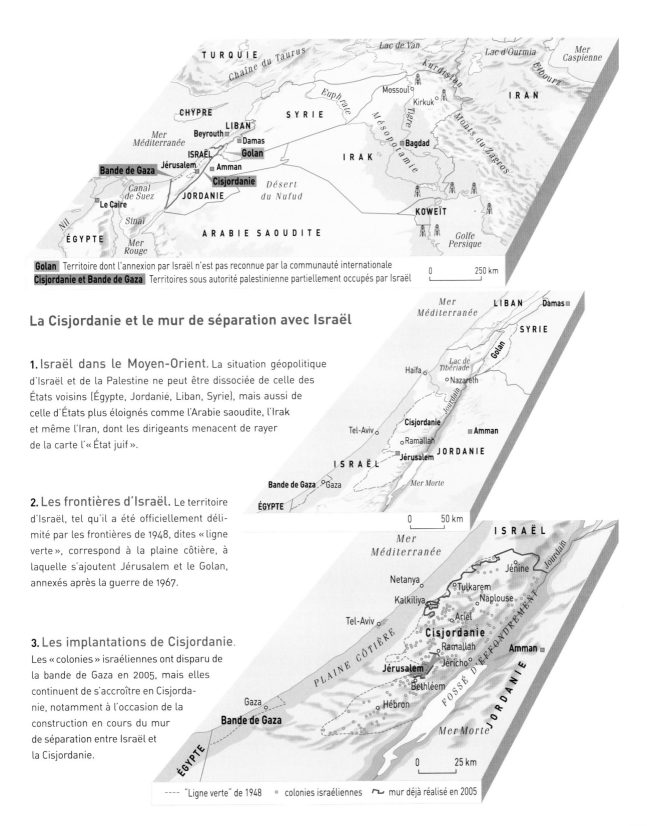

Golan Territoire dont l'annexion par Israël n'est pas reconnue par la communauté internationale
Cisjordanie et Bande de Gaza Territoires sous autorité palestinienne partiellement occupés par Israël

0   250 km

La Cisjordanie et le mur de séparation avec Israël

1. Israël dans le Moyen-Orient. La situation géopolitique d'Israël et de la Palestine ne peut être dissociée de celle des États voisins (Égypte, Jordanie, Liban, Syrie), mais aussi de celle d'États plus éloignés comme l'Arabie saoudite, l'Irak et même l'Iran, dont les dirigeants menacent de rayer de la carte l'« État juif ».

2. Les frontières d'Israël. Le territoire d'Israël, tel qu'il a été officiellement délimité par les frontières de 1948, dites « ligne verte », correspond à la plaine côtière, à laquelle s'ajoutent Jérusalem et le Golan, annexés après la guerre de 1967.

3. Les implantations de Cisjordanie. Les « colonies » israéliennes ont disparu de la bande de Gaza en 2005, mais elles continuent de s'accroître en Cisjordanie, notamment à l'occasion de la construction en cours du mur de séparation entre Israël et la Cisjordanie.

---- "Ligne verte" de 1948   ○ colonies israéliennes   ⌐ mur déjà réalisé en 2005

↘ **L'immigration en Israël depuis 1948.**
Entre 1948 et 1996, plus de 2,5 millions de Juifs ont émigré vers Israël. Trois groupes ont constitué les contingents les plus importants : ceux d'Europe centrale (dont ceux de Pologne et de Roumanie), qui avaient survécu à l'extermination nazie ; ceux du monde arabe (Maroc et Irak, notamment) ; ceux, enfin, issus de l'ex-Union soviétique et dont le nombre est si grand qu'ils constituent désormais un groupe à part dans le pays.

de ces immigrés parlant allemand ou yiddish, voulaient freiner leur immigration, de plus en plus importante. D'autre part, les Arabes palestiniens, dont le nombre augmentait du fait de la croissance démographique, revendiquaient les terres de la plaine, d'autant que le paludisme y avait disparu en raison des assainissements effectués par les kibboutz. Ceux-ci commencèrent aussi à se fortifier, car en 1936-1937 éclatait la grande révolte palestinienne contre les Anglais et les Juifs. Les revendications d'indépendance des Arabes, poussés par les Frères musulmans, en contact avec des agents nazis, s'opposaient au sionisme.

La première guerre israélo-arabe

Au lendemain de la Seconde Guerre mondiale, les territoires sous mandat français ou britannique étant devenus indépendants, le problème des colonies juives commença à se poser, d'autant que des Juifs rescapés de la Shoah cherchaient à y venir en nombre croissant, malgré le blocus des Anglais. Peu après sa création, l'ONU proposa un plan de partage de la Palestine, puisque tel était le nom que les Anglais avaient donné aux territoires situés à l'ouest du fossé de la mer Morte. Les Arabes comme les Juifs refusèrent ce plan de partage, et les combats commencèrent entre eux dès 1948, après le retrait

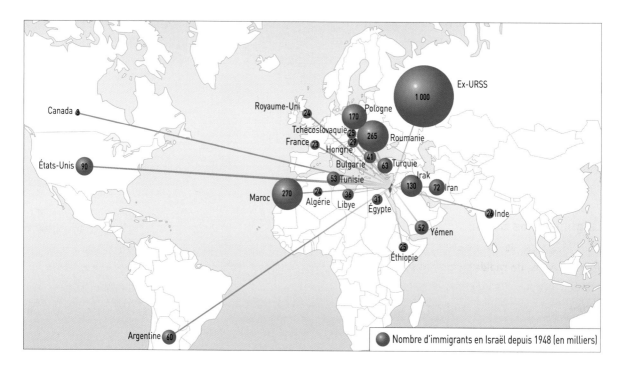

Nombre d'immigrants en Israël depuis 1948 (en milliers)

des troupes britanniques. Dans un premier temps, les Juifs résistèrent difficilement à la pression des armées arabes (Syrie, Égypte, Irak, Liban, Jordanie). Mais, après un armistice durant lequel ils reçurent des renforts de volontaires, des armes et des munitions, ils prirent l'offensive depuis la plaine côtière. Ils purent se lancer vers le sud, à la conquête du désert du Néguev, en direction du golfe d'Akaba. Mais ils ne purent pas prendre pied sur les plateaux, ni remonter sous le feu ennemi la vallée qui mène à Jérusalem, jusqu'au centre de la ville. À l'arrêt des combats en 1949, la ligne de front correspondait pour l'essentiel au rebord des plateaux de Cisjordanie. Telle est encore aujourd'hui la frontière officielle de l'État d'Israël, telle qu'elle a été reconnue par l'ONU. Les Arabes palestiniens quittèrent la plaine ou en furent chassés durant les combats. Cependant des Arabes, surtout chrétiens, se maintinrent au nord, dans les collines de Galilée. Ils sont plus d'un million aujourd'hui, soit environ un sixième des citoyens israéliens.

La guerre des Six-Jours

En 1967, lors de la «guerre des Six-Jours», après de rapides victoires sur les armées arabes, Tsahal, l'armée israélienne, pourtant sans grand appui extérieur, s'empara, au nord, du haut plateau du Golan, qui domine le lac de Tibériade

↘ **L'eau, question cruciale entre Arabes et Israéliens.** Les ressources hydrauliques étant limitées dans la région, la question de l'eau figure parmi les nombreux points de rivalités géopolitiques entre les Israéliens et leurs voisins arabes. En 1967, la conquête du plateau du Golan face à la Syrie représenta un enjeu majeur. Elle permettait à Israël de s'assurer de l'approvisionnement du lac de Tibériade, la seule importante réserve d'eau douce du Proche-Orient. Depuis, un réseau de canalisations et de stations de pompage transportent les eaux du lac de Tibériade jusque dans le désert du Néguev et le gouvernement de Jérusalem refuse de rendre le Golan à la Syrie, de peur que celle-ci ne cherche à détourner les eaux à partir des hauteurs du plateau. Aujourd'hui encore, la répartition des eaux entre Juifs et Arabes reste très favorable aux premiers.

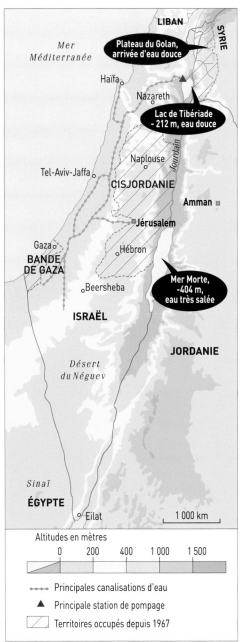

Altitudes en mètres
0   200   400   1 000   1 500

•••• Principales canalisations d'eau
▲ Principale station de pompage
Territoires occupés depuis 1967

Les organisations palestiniennes

À proprement parler, il n'est question de « Palestiniens » que depuis le début des années 1960 (l'Organisation de libération de la Palestine date de 1964), car auparavant on parlait surtout des « Arabes de Palestine ». En effet, les différents États arabes du Proche-Orient, et notamment la Syrie qui voulait réaliser la « Grande Syrie », ne tenaient absolument pas à la formation d'un nouvel État arabe, en l'occurrence l'État palestinien. En 1948, les 940 000 Arabes chassés du territoire devenu celui d'Israël s'étaient réfugiés pour une grande part en Cisjordanie et restèrent concentrés dans des camps bénéficiant d'une aide du Commissariat des Nations unies pour les réfugiés. Cela permit aux jeunes, de plus en plus nombreux, d'y acquérir un niveau d'instruction relativement élevé. Ces jeunes subirent aussi l'influence d'organisations militantes basées dans divers pays arabes, organisations plus ou moins marxistes et néanmoins rivales, dont le Fatah, fondé en 1959 à Koweït par un Palestinien né au Caire, Yasser Arafat, ou le FPLP (Front populaire pour la libération de la Palestine), fondé en Syrie en 1966. En 1967, l'occupation de la Cisjordanie par l'armée israélienne entraîna un nouvel exode, notamment vers la Jordanie, mais une partie des réfugiés de 1948 resta sur place dans leurs camps, où les tentes avaient été progressivement remplacées par un habitat en dur. La défaite arabe de 1967 eut pour effet de fédérer en principe les différentes organisations palestiniennes en une Organisation de libération de la Palestine, l'OLP, sous la direction au Caire de Yasser Arafat. En Jordanie, où les Palestiniens étaient devenus très nombreux, le gouvernement royal s'inquiétait de leurs agissements. En septembre 1970, les organisations palestiniennes les plus radicales tentèrent de prendre le pouvoir en Jordanie, mais elles furent écrasées par l'armée royale, qui chassa, vers le Liban notamment, un grand nombre de Palestiniens. Après ce « Septembre noir », les organisations palestiniennes implantées au Liban tentèrent, là aussi, de prendre le pouvoir en profitant des rivalités entre les différentes communautés religieuses libanaises (sunnites, chiites, chrétiennes et druzes). Lors de la guerre civile qui éclata en dans ce pays en 1975 (et qui durera jusqu'en 1990), les Palestiniens furent sur le point de prendre le pouvoir, mais ils en furent empêchés par l'intervention de l'armée syrienne en 1976, puis par celle de l'armée israélienne, à Beyrouth, en 1982.

(la seule grande réserve d'eau douce du Proche-Orient), et, au sud, de toute la grande presqu'île du Sinaï ; au centre, Tsahal conquit Jérusalem, la ville de Gaza et les plateaux de Cisjordanie. Après avoir proclamé que Jérusalem serait désormais sa capitale, le gouvernement israélien déclara que la Cisjordanie, Gaza et le Sinaï étaient des « territoires occupés » à titre provisoire et qu'il les rendrait aux États arabes en échange de traités de paix reconnaissant l'existence de l'État d'Israël. L'ONU vota une résolution demandant l'évacuation dans les meilleurs délais de ces territoires occupés. Mais celle-ci n'aura d'effet que pour la presqu'île du Sinaï, que les Israéliens évacueront en 1982, en application du traité de paix avec l'Égypte, signé en 1979 (après une nouvelle guerre en 1973). Mais le gouvernement égyptien préféra ne pas récupérer la ville de Gaza, qui était déjà fort turbulente et un fief des Frères musulmans.

L'extraordinaire victoire par laquelle s'acheva la guerre des Six-Jours eut sur le plan intérieur des conséquences imprévues. Jusqu'alors en effet, les milieux religieux juifs considéraient comme tout à fait impie le projet sioniste, élaboré originellement par des Juifs fort peu religieux, laïcs, sinon athées, à l'imitation des mouvements nationaux qui se développaient en Europe au XIXe siècle. Pour les rabbins, refonder l'État d'Israël était

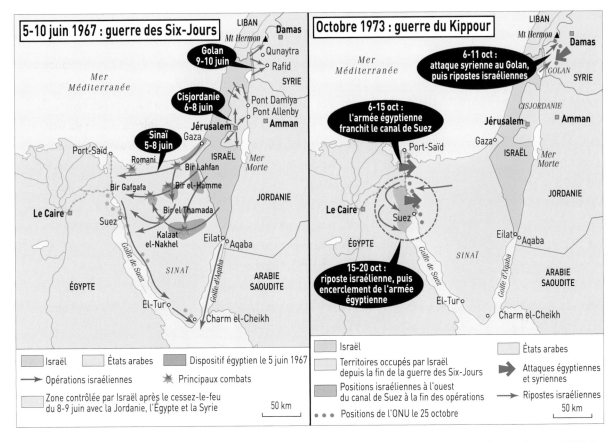

5-10 juin 1967 : guerre des Six-Jours

Golan
9-10 juin

Cisjordanie
6-8 juin

Sinaï
5-8 juin

LIBAN
Mt Hermon
Damas
Qunaytra
Rafid
SYRIE
Pont Damiya
Pont Allenby
Amman
Jérusalem
Gaza
ISRAËL
Mer Morte
JORDANIE

Mer Méditerranée

Port-Saïd
Romani
Bir Lahfan
Bir el-Hamme
Bir Gafgafa
Bir el Thamada
Le Caire
Suez
Kalaat el-Nakhel
Eilat
Aqaba
SINAÏ
ARABIE SAOUDITE
ÉGYPTE
El-Tur
Charm el-Cheikh
Golfe de Suez
Golfe d'Aqaba

| Israël | États arabes | Dispositif égyptien le 5 juin 1967 |

→ Opérations israéliennes   ✳ Principaux combats

Zone contrôlée par Israël après le cessez-le-feu du 8-9 juin avec la Jordanie, l'Égypte et la Syrie

50 km

Octobre 1973 : guerre du Kippour

6-11 oct :
attaque syrienne au Golan, puis ripostes israéliennes

6-15 oct :
l'armée égyptienne franchit le canal de Suez

15-20 oct :
riposte israélienne, puis encerclement de l'armée égyptienne

LIBAN
Mt Hermon
Damas
GOLAN
SYRIE
CISJORDANIE
Jérusalem
Amman
Gaza
ISRAËL
Mer Morte
JORDANIE

Mer Méditerranée

Port-Saïd
Le Caire
Suez
Eilat
Aqaba
SINAÏ
ARABIE SAOUDITE
ÉGYPTE
El-Tur
Charm el-Cheikh
Golfe de Suez
Golfe d'Aqaba

| Israël |

Territoires occupés par Israël depuis la fin de la guerre des Six-Jours

Positions israéliennes à l'ouest du canal de Suez à la fin des opérations

••• Positions de l'ONU le 25 octobre

| États arabes |

➡ Attaques égyptiennes et syriennes

→ Ripostes israéliennes

50 km

↗ Les guerres israélo-arabes

un projet sacrilège tant que le Messie n'était pas venu. Mais le miraculeux succès de la guerre des Six-Jours n'était-il pas le signe que Dieu approuvait la création de l'État d'Israël ? Du coup, nombre de Juifs très religieux affluèrent en Israël, à Jérusalem, mais aussi en Cisjordanie, dans ce qu'ils appelaient, comme dans l'Antiquité, la Judée et la Samarie. Ces religieux s'implantèrent progressivement sous la forme de « colonies » sur tous les lieux stratégiques indiqués dans la Bible (celle-ci racontant par le détail la conquête par les Hébreux de la Terre promise).

La défaite des armées arabes en 1967 fut telle qu'elle contribua à la prise de conscience d'un certain nombre de Palestiniens qui vivaient dans des camps de réfugiés au Liban, en Syrie ou en Jordanie. Ceux-ci espéraient en effet jusqu'alors que ces armées chasseraient les Israéliens ; aussi décidèrent-ils de mener désormais des actions autonomes. En 1970, des groupes armés palestiniens tentèrent de prendre le pouvoir en Jordanie. L'armée jordanienne les écrasa et les chassa vers le Liban. Là, le Fatah de Yasser Arafat joua un rôle important, contribuant notamment activement à la guerre civile qui s'y déclencha en 1975 (elle devait durer jusqu'en 1990). La Syrie intervint alors afin d'empêcher le Fatah d'y prendre le pouvoir pour créer l'amorce d'un État palestinien. En 1982, l'armée israélienne envahit le Liban pour en chasser le Fatah (avec l'aide des Syriens). Yasser Arafat dut se réfugier en Tunisie.

La première Intifada et les accords d'Oslo

En 1987 éclata à Gaza et en Cisjordanie l'insurrection, l'Intifada, contre les Israéliens, que l'on a aussi appelée la « guerre des pierres », les Palestiniens, surtout des jeunes, évitant d'utiliser des armes à feu pour ne pas susciter une riposte de Tsahal. Des négociations secrètes furent menées (en Norvège notamment) avec le soutien des Américains entre le gouvernement israélien et le Fatah de Yasser Arafat, lesquelles aboutirent en 1993 aux « accords d'Oslo ». L'Organisation de libération de la Palestine reconnaissait enfin l'existence d'Israël, le gouvernement israélien reconnaissant quant à lui l'existence d'une « Autorité palestinienne ». Celle-ci n'était pas un État, mais pouvait avoir une police, et son autorité était en principe reconnue sur une partie de la Cisjordanie. Sur une autre partie, l'autorité était partagée avec les Israéliens, lesquels conservaient en revanche pour un certain temps leur contrôle sur une troisième partie, celle où se trouvaient leurs « colonies ». Les Palestiniens acceptaient que la question de Jérusalem, qu'ils revendiquent toujours, et celle du retour des réfugiés soient remises à des négociations ultérieures. Arafat s'installa à Ramallah.

Ces accords d'Oslo furent accueillis avec satisfaction en Europe et aux États-Unis, mais avec méfiance dans les pays arabes et avec hostilité dans une partie de l'opinion israélienne. Une campagne acharnée fut lancée contre Yitzhak Rabin (ex-général), qui fut assassiné par un juif religieux en 1995. Cela retarda beaucoup l'application des accords d'Oslo, et les « colonies » sionistes se multiplièrent en Cisjordanie. Alors que le Fatah, qui comptait des musulmans et des chrétiens, affirmait des positions laïques, les islamistes créaient un nouveau parti, le Hamas, qui rejetait les accords d'Oslo et affirmait son refus d'accepter l'existence d'Israël.

La seconde Intifada et le foyer islamiste de Gaza

En 2000, une nouvelle Intifada éclata, prenant immédiatement des formes sanglantes, tant du côté israélien que du côté palestinien. Dans le même temps, des groupes islamistes palestiniens se lancèrent en Israël dans une campagne d'attentats-suicides. Ceux-ci ne pouvant guère être empêchés, le gouvernement

↘ **Les territoires palestiniens depuis les accords d'Oslo de 1993.** Entre 1968 et 2006, le nombre de colons juifs installés en Cisjordanie est passé de quelque 5 000 à plus de 230 000, auxquels s'ajoutent 180 000 implantés dans la partie arabe de la périphérie de Jérusalem. Décidée en 2002, la construction d'un mur de séparation entre les deux communautés avait pour objectif de garantir la sécurité des Israéliens contre les agressions terroristes. Cependant, le tracé extrêmement sinueux du mur laisse croire que sa fonction vise aussi à pérenniser la présence des implantations juives en territoire palestinien. Si la situation se confirmait, près de 10 % de la Cisjordanie serait ainsi annexés par Israël, auxquels pourrait s'ajouter la vallée du Jourdain (soit encore 36 % de la Cisjordanie), et alors que la bande de Gaza demeure enclavée. À la mi-2005, environ 210 kilomètres de mur ont déjà été construits ou sont en construction, et 184 autres kilomètres restant en projet.

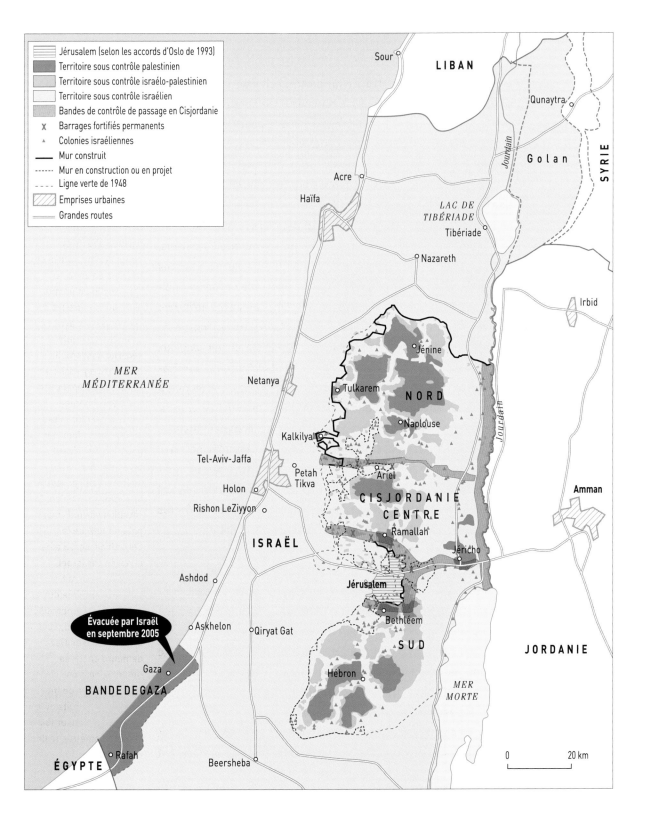

≣	Jérusalem (selon les accords d'Oslo de 1993)
▮	Territoire sous contrôle palestinien
▮	Territoire sous contrôle israélo-palestinien
□	Territoire sous contrôle israélien
▨	Bandes de contrôle de passage en Cisjordanie
×	Barrages fortifiés permanents
▲	Colonies israéliennes
—	Mur construit
----	Mur en construction ou en projet
--	Ligne verte de 1948
▨	Emprises urbaines
≡	Grandes routes

LIBAN

Sour

Qunaytra

SYRIE

Golan

Jourdain

Acre

Haïfa

LAC DE TIBÉRIADE

Tibériade

Nazareth

Irbid

MER MÉDITERRANÉE

Netanya

Jénine

Tulkarem

NORD

Kalkilya

Naplouse

Tel-Aviv-Jaffa

Petah Tikva

Ariel

Holon

CISJORDANIE CENTRE

Rishon LeZiyyon

Ramallah

Amman

ISRAËL

Jéricho

Jourdain

Ashdod

Jérusalem

Bethléem

Askhelon

Qiryat Gat

SUD

JORDANIE

Évacuée par Israël en septembre 2005

Gaza

Hébron

MER MORTE

BANDE DE GAZA

ÉGYPTE

Rafah

Beersheba

0   20 km

Les Palestiniens en chiffres

Les Palestiniens constituent un peuple d'environ 9,7 millions de personnes. 3,8 millions d'entre eux vivent en Palestine, dont 2,5 en Cisjordanie et 1,3 à Gaza. 5,9 millions sont en diaspora, dont 1,2 million en Israël, 2,7 millions en Jordanie, 440 000 en Syrie, 420 000 au Liban, 60 000 en Égypte, 310 000 en Arabie saoudite, 165 000 dans les Émirats, 720 000 dans le reste du monde, dont 240 000 aux États-Unis. En bloquant les accès à Israël et donc les possibilités de travail, la seconde Intifada a sérieusement aggravé les conditions de vie des Palestiniens des Territoires, dont près de 30 % sont au chômage et dont près de 40 % vivent en dessous du seuil de 1000 dollars par an et par habitant. Toutefois, l'aide internationale est massive : les Palestiniens reçoivent ainsi plus de 1 milliard de dollars par an. Avec près de 300 millions en 2005, l'Union européenne est le plus gros donateur, contre 90 millions pour les États-Unis.

israélien entreprit la construction d'un mur fortifié pour empêcher les Palestiniens d'entrer en Israël, en dehors d'un petit nombre de points de contrôle. Ce mur engloba de nombreuses « colonies » situées en Cisjordanie, bien au-delà de la frontière d'Israël. L'Intifada prit des formes de plus en plus violentes dans la « bande de Gaza », essentiellement en raison de l'influence grandissante qui exerçait le Hamas. La situation des soldats israéliens devenant de plus en plus périlleuse dans ce territoire exigu où s'entasse une population de plus en plus nombreuse (un million d'habitants) et dont une bonne partie était accaparée par les exploitations agricoles de quelque 8 000 Israéliens, l'opinion israélienne

estima qu'il fallait l'abandonner, ce à quoi se résolut le général Sharon, malgré l'opposition d'une grande partie du Likoud, son propre parti, mais avec l'appui de députés travaillistes.

Après la mort d'Arafat en 2004, que les Israéliens considéraient comme complice des attentats, des négociations furent entreprises avec le nouveau président de l'Autorité palestinienne, le modéré Mahmoud Abbas, qui venait d'être élu. Deux ans plus tard, en 2006, les islamistes du Hamas, qui ne cessaient de proclamer que, par leur lutte armée, ils avaient obligé les sionistes à quitter la bande de Gaza, obtenaient la majorité absolue aux élections législatives palestiniennes. Sharon était frappé au même moment par un accident cérébral (la punition de Dieu, dirent les religieux). Le Hamas refusant de reconnaître l'existence d'Israël, les dirigeants israéliens refusèrent tout contact avec le gouvernement qu'il forma ; l'Union européenne cessa ses versements de subsides à l'Autorité palestinienne.

Les islamistes de la bande de Gaza continuèrent leurs actions armées contre Israël, en tirant des roquettes « artisanales » contre des villes israéliennes à leur portée. Tsahal répliqua par le bombardement des sites de lancement de ces engins, ainsi que par des incursions armées. Durant l'une d'entre elles, un soldat israélien fut kidnappé. On s'attendait alors à une opération massive de Tsahal sur Gaza. Or, un incident du même genre se produisit en juillet 2007 sur la frontière nord d'Israël : des soldats israéliens furent tués et deux autres furent kidnappés par des combattants du Hezbollah, le parti islamiste chiite libanais qui contrôlait le sud du Liban depuis que Tsahal l'avait évacué en 2000.

La guerre du Liban, été 2006

Les Israéliens lancèrent des opérations militaires au nord de la frontière pour retrouver leurs soldats, ce à quoi le Hezbollah riposta par des tirs de roquettes sur des villes du nord d'Israël. Très vite, le conflit s'étendit au Sud-Liban, aux bombardements israéliens répondant les tirs de roquettes de fabrication iranienne du Hezbollah. L'aviation israélienne multiplia ses raids sur tout le Liban pour y détruire les sites de lancement de missiles et les routes par lesquelles ils étaient acheminés depuis la Syrie. Cette riposte aérienne s'avérant inefficace, le commandement de Tsahal se résolut à une offensive terrestre, qui se heurta à d'importantes fortifications que le Hezbollah avait construites secrètement, tout près de la frontière israélienne. Les chars israéliens firent demi-tour après qu'un certain nombre d'entre eux eurent été détruits par des missiles anti-chars ultramodernes de

fabrication russe, fournis par la Syrie ou par l'Iran. Israël accepta au bout de quelques jours qu'un cessez-le-feu, assuré par des Casques bleus de l'ONU, mette fin à cette opération aussi mal engagée. Cette guerre du Liban de l'été 2006 a démontré que désormais l'Iran chiite, malgré la distance, jouait un rôle important dans les problèmes du Proche-Orient. Tout cela inquiète les dirigeants américains et ceux des États sunnites, d'autant qu'à Gaza la guerre civile est presque engagée entre milices du Fatah et du Hamas, au risque de se propager à l'ensemble des territoires palestiniens, privés depuis des mois de ressources par le blocus israélien et l'arrêt des aides de l'Union européenne.

Fin mars 2007, avec l'appui des Américains, le roi d'Arabie saoudite a réuni une conférence de la Ligue arabe (organisation ancienne qui rassemble en principe tous les États arabes) pour faire des propositions de paix à un nouveau gouvernement palestinien, dont le Hamas ne contrôle plus les ministères stratégiques, et à Israël, dont le gouvernement est au plus bas dans les sondages. Malgré les pressions américaines, ce dernier refuse la création d'un véritable État palestinien, avant tout pour ne pas avoir à résoudre le problème épineux, pour ne pas dire explosif, des 500 000 Israéliens des « colonies » de Cisjordanie. ■

Irak, Iran, Afghanistan, Pakistan

L'IRAK ET L'IRAN

Voisins (voir le diatope p. 36), ces deux États musulmans sont assez différents l'un de l'autre, ne serait-ce, en premier lieu, pour la raison que l'Irak est trois fois moins vaste et trois fois moins peuplé que l'Iran. Celui-ci est un ensemble de grands plateaux situés entre la mer Caspienne, au nord, et le golfe Persique, au sud. À l'extrémité nord de ce golfe se jettent par un grand estuaire commun le Tigre et l'Euphrate, qui coulent plus ou moins parallèlement dans cette vaste plaine que les géographes grecs de l'Antiquité ont appelée Mésopotamie et que les Anglais, vers 1920, ont dénommée Irak. La bordure orientale de la Mésopotamie est suivie, au pied des montagnes, par toute une série de gisements pétroliers qui se prolongent en Iran, en bordure du golfe Persique. Ces données géologiques ont, depuis le xxᵉ siècle, conféré des caractéristiques communes aux deux pays, liées pour une bonne part à l'exploitation pétrolière.

Chiites et sunnites, des rapports qui sont devenus dramatiques

Il y a cependant entre ces deux États des différences beaucoup plus anciennes : l'Irak fait en effet partie du monde arabe, ce qui n'est pas le cas de l'Iran. L'un et l'autre appartiennent certes à l'espace musulman, et, lorsque Bagdad était au Moyen Âge la capitale de l'empire arabe des Abbassides, la Perse, qui y était intégrée, contribua de façon majeure au développement de la civilisation arabo-musulmane. À cette époque, toutefois, existait déjà une rivalité politique et religieuse entre les sunnites, majoritaires dans le monde musulman, et les chiites, qui considèrent que les héritiers légitimes du prophète Muhammad (Mahomet) sont les descendants de sa fille Fatima et de son gendre Ali. Or, les tombeaux d'un certain nombre de ces descendants se trouvent en Mésopotamie, dans des villes saintes qui sont encore des lieux de pèlerinage, aussi bien pour les chiites d'Irak

L'Irak en chiffres

Superficie	434 000 km²
Population	23,6 millions d'habitants

L'Iran en chiffres

Superficie	1 650 000 km²
Population	71,4 millions d'habitants
PNB	133 milliards de dollars

que pour ceux d'Iran. L'Empire perse est en effet devenu chiite au XVIᵉ siècle, alors que la Mésopotamie passait sous le contrôle de l'Empire ottoman sunnite.

Après l'effondrement de l'Empire ottoman, au lendemain de la Première Guerre mondiale, on a pu croire que les différences entre sunnites et chiites n'auraient plus guère d'importance. Mais la terrible guerre civile qui se déroule actuellement en Irak montre qu'hélas il n'en est rien, puisqu'elle oppose Arabes sunnites, qui forment 20 % de la population, et Arabes chiites, qui avoisinent les 60 %, les Kurdes, non arabes, constituant les 20 % restant. Cette guerre civile est une conséquence indirecte de l'intervention militaire américaine qui, en 2003, est venue renverser Saddam Hussein, le maître de l'Irak. Cette guerre civile entre chiites et sunnites s'est accentuée depuis 2005, malgré l'occupation américaine (ou à cause de celle-ci, disent les Arabes), quand des attentats ont frappé les quartiers chiites puis sunnites de Bagdad, ainsi que les villes saintes chiites que sont Nadjaf, Kerbala et Samarra. Les atrocités qu'elle génère sont telles que l'opinion américaine souhaite désormais que les soldats américains quittent l'Irak, ce à quoi s'oppose le président George W. Bush, estimant que la situation serait encore pire après leur départ. La situation est en effet très complexe.

Il est probable que l'Irak va être « fédéralisé », divisé entre Arabes sunnites, Arabes chiites et Kurdes (sunnites). Cela n'ira toutefois pas sans problème, les gisements de pétrole se trouvant surtout au sud, en zone chiite, et au nord, en zone kurde, ce qui désavantage les sunnites. De surcroît se pose le problème de Bagdad, qui, bien qu'en zone sunnite, est devenu une ville à majorité chiite, par suite des migrations qui ont affecté cette population. L'Arabie saoudite, qui est voisine de l'Irak, s'oppose à ce recul sunnite, dans le même temps qu'elle s'inquiète du rôle croissant que jouent dans cette guerre civile les Iraniens, qui soutiennent

◣ **Les peuples d'Irak.** Adoptée en octobre 2005 par 78 % des votants (pour une participation de 63 % des inscrits), la nouvelle Constitution irakienne prévoit un système fédéral garantissant l'unité du pays. Une grande partie des sunnites, autrefois dominants sous le régime de Saddam Hussein, refuse cette formule qui, selon eux, fait la part belle aux chiites, largement majoritaires dans le pays. Les Kurdes, pour leur part, voient dans ces nouvelles institutions la possibilité de pérenniser la très large autonomie dont ils jouissent depuis 2001. Cependant, demeure ouvert le problème de Kirkuk, non incluse dans la région kurde, mais considérée par eux comme un lieu historique, au centre d'une riche zone pétrolière. Les Kurdes font observer, à tort ou à raison, que la Turquie ne considère plus comme un *casus belli* l'intégration de cette ville dans la zone kurde d'Irak.

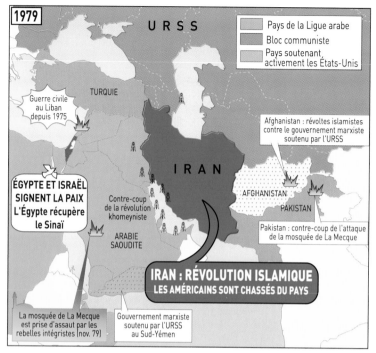

1979

URSS

Pays de la Ligue arabe
Bloc communiste
Pays soutenant activement les États-Unis

TURQUIE

Guerre civile au Liban depuis 1975

Afghanistan : révoltes islamistes contre le gouvernement marxiste soutenu par l'URSS

IRAN

AFGHANISTAN

PAKISTAN

ÉGYPTE ET ISRAËL SIGNENT LA PAIX
L'Égypte récupère le Sinaï

Contre-coup de la révolution khomeyniste

Pakistan : contre-coup de l'attaque de la mosquée de La Mecque

ARABIE SAOUDITE

IRAN : RÉVOLUTION ISLAMIQUE
LES AMÉRICAINS SONT CHASSÉS DU PAYS

La mosquée de La Mecque est prise d'assaut par les rebelles intégristes (nov. 79)

Gouvernement marxiste soutenu par l'URSS au Sud-Yémen

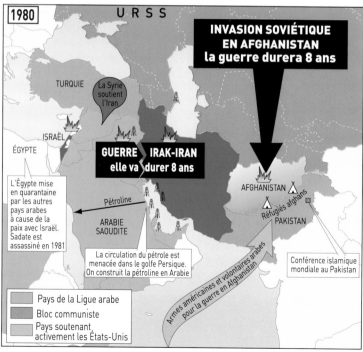

1980

URSS

INVASION SOVIÉTIQUE EN AFGHANISTAN
la guerre durera 8 ans

TURQUIE

La Syrie soutient l'Iran

ISRAËL

ÉGYPTE

GUERRE IRAK-IRAN
elle va durer 8 ans

L'Égypte mise en quarantaine par les autres pays arabes à cause de la paix avec Israël. Sadate est assassiné en 1981

Pétroline

AFGHANISTAN

Réfugiés afghans

PAKISTAN

ARABIE SAOUDITE

La circulation du pétrole est menacée dans le golfe Persique. On construit la pétroline en Arabie

Armes américaines et volontaires arabes pour la guerre en Afghanistan

Conférence islamique mondiale au Pakistan

Pays de la Ligue arabe
Bloc communiste
Pays soutenant activement les États-Unis

les chiites. L'Arabie saoudite et les autres États arabes du Moyen-Orient s'inquiètent peut-être plus encore que l'Iran puisse se doter bientôt de l'arme nucléaire, malgré l'opposition de l'ONU et des États-Unis.

Se rappeler la guerre Irak-Iran et la guerre du Golfe

Pour comprendre les complications géopolitiques actuelles dans cette partie du Moyen-Orient, il faut examiner la répartition géographique des différents peuples qui le composent, laquelle ne coïncide pas avec celle des religions, et le tracé des États. En effet, la ligne de partage entre chiites et sunnites ne correspond pas à celle qui séparait depuis le XVIe siècle l'Empire perse et l'Empire ottoman, marquant ainsi la limite orientale du peuplement arabe. Tout au sud de la Mésopotamie, à l'est du Chatt al-Arab (la « rivière des Arabes », qui forme le long estuaire commun au Tigre et à l'Euphrate), se trouvent par exemple des Arabes chiites.

↖ ← 1979-1980, à la façon d'une bande dessinée. Sur ces deux cartes sont brièvement indiqués des événements à forte signification géopolitique, qui se sont produits au Moyen-Orient en 1979, puis en 1980, et qui se sont répercutés les uns sur les autres.

C'est pour conquérir cette région de peuplement arabe (dénommée Khuzistan), qui est surtout la principale région pétrolière de l'Iran, que, en 1980, Saddam Hussein, le maître de l'Irak, attaqua l'État voisin, où l'ayatollah Khomeiny venait de prendre le pouvoir après la chute du shah. Il s'ensuivit une terrible guerre jusqu'en 1988, durant laquelle l'Irak eut le soutien des pays occidentaux, du Koweït et de l'Arabie saoudite. Après cette guerre qui n'eut pas de vainqueur, les relations entre les deux États voisins cessèrent, jusqu'à ce que l'intervention américaine, en 2003, ne renverse Saddam Hussein et n'entraîne l'éclatement de l'Irak entre sunnites, Kurdes et chiites, ces derniers étant de plus en plus soutenus par l'Iran.

On soutient souvent que cette intervention est la conséquence des attentats du 11 septembre 2001. C'est en partie vrai, puisque George W. Bush et ses conseillers ont considéré que Saddam Hussein pourrait faire alliance avec Al-Qaida, ce qui n'était pas impossible. Il serait toutefois bon de rappeler auparavant quelles furent les relations entre Saddam Hussein et les États-Unis après la fin de la guerre Irak-Iran, car cela explique bien des choses.

Faute d'avoir pu prendre à l'Iran sa principale région pétrolière (le Khuzistan), en raison de la résistance acharnée des Iraniens, Saddam Hussein envahit brusquement en août 1990 le petit État du Koweït.

Il proclama alors que ce petit territoire, qui fut un protectorat britannique, faisait en vérité partie de l'Irak, et que les Anglais, lorsqu'ils avaient tracé en 1920 les frontières irakiennes, avaient maintenu l'existence du Koweït au débouché de la Mésopotamie pour « étrangler » l'Irak, en réduisant à presque rien son territoire sur la rive droite du Chatt al-Arab (la rive gauche ayant été attribuée par les Anglais à l'Iran, afin que leur grande raffinerie pétrolière d'Abadan puisse être atteinte par les navires de haute mer). L'enjeu était aussi pour Saddam Hussein les énormes réserves de pétrole du Koweït.

L'invasion du Koweït sema la panique dans la royauté saoudienne, qui fit appel à l'aide militaire américaine, conformé-

↖ 1990-1991.

Réplique à l'invasion du Koweït par Saddam Hussein, la guerre du Golfe aura des conséquences lointaines dont on ne découvrira la gravité que dix ans plus tard.

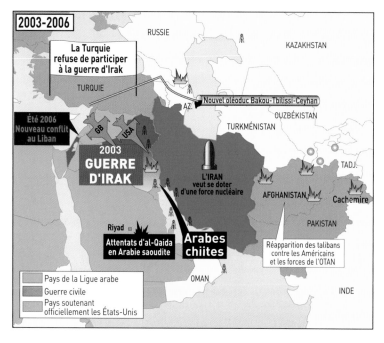

2003-2006

RUSSIE

KAZAKHSTAN

La Turquie
refuse de participer
à la guerre d'Irak

TURQUIE

AZ.

Nouvel oléoduc Bakou-Tbilissi-Ceyhan

OUZBÉKISTAN

Été 2006
Nouveau conflit
au Liban

GB   USA

TURKMÉNISTAN

2003
GUERRE
D'IRAK

L'IRAN
veut se doter
d'une force nucléaire

TADJ.

AFGHANISTAN   Cachemire

PAKISTAN

Riyad

Attentats d'al-Qaida
en Arabie saoudite

Arabes
chiites

Réapparition des talibans
contre les Américains
et les forces de l'OTAN

OMAN

INDE

Pays de la Ligue arabe
Guerre civile
Pays soutenant
officiellement les États-Unis

2003-2007 au Moyen-Orient. À la façon des bandes dessinées, une présentation schématique des situations géopolitiques au Moyen-Orient. Le gouvernement afghan et celui du Pakistan suivent officiellement la politique américaine, en dépit de la pression des islamistes.

ment aux accords de 1945. Les États-Unis rassemblèrent alors sous l'égide de l'ONU une vaste coalition (500 000 hommes), qui, en février 1991, chassa l'armée irakienne du Koweït, sans pour autant rester en territoire irakien. Saddam Hussein se maintint donc au pouvoir, mais sans la capacité d'utiliser son aviation sur le nord (kurde) et le sud (chiite) du pays, qui s'étaient révoltés contre lui. Soumis à la surveillance des aviations américaine et britannique, l'Irak fut soumis de surcroît à un blocus et à l'embargo de ses exportations pétrolières, pour ne pas être en mesure d'acheter de nouveaux armements (notamment des fusées, comme celles qui avaient été

lancées contre Israël en 1991). La prolongation de cet embargo sur les exportations de pétrole irakiennes jusqu'en 2003 réduit beaucoup la pertinence de l'argument, fréquemment utilisé, selon lequel les États-Unis auraient voulu faire la conquête de l'Irak pour avoir son pétrole. Il leur aurait alors suffi de lever cet embargo, comme le demandaient d'ailleurs depuis des années la plupart des États européens.

L'attaque américaine et la guerre civile en Irak

Les causes de l'attaque américaine contre l'Irak ont évidemment rapport avec les attentats du 11-Septembre. La haine de Saddam Hussein à l'encontre des États-Unis étant patente, il était compréhensible que l'opinion américaine estime que celui-ci pouvait être de mèche ou du moins pourrait bientôt faire alliance avec Al-Qaida, qui avait revendiqué ces attentats. On sait maintenant que ceux-ci furent une des conséquences indirectes de la guerre du Golfe de 1991, et plus précisément du désaccord entre la monarchie saoudienne et Oussama Ben Laden, qui accusait cette dernière d'avoir laissé l'armée américaine profaner par sa présence le « sol sacré » de l'Arabie. Mais l'entrée en guerre des États-Unis contre l'Irak relève de l'entière responsabilité de George W. Bush, qui a inventé les preuves des préparatifs par Saddam Hussein d'un nouvel attentat spectaculaire, a écarté les mises en garde de la France et a surtout ignoré les conséquences dangereuses que pourrait entraîner une dislocation de l'Irak. Après une victoire très rapide sur l'armée irakienne (Bagdad est pris en trois jours et presque sans combat), les responsables américains vont faire preuve d'improvisation et opté pour des choix très fâcheux dans l'organisation d'un nouvel Irak.

Alors que la plupart des chiites et des Kurdes voyaient des avantages dans la présence américaine (les Kurdes étaient pratiquement indépendants, et le gouvernement irakien était surtout formé de chiites), les sunnites, qui, depuis les Ottomans, avaient toujours dirigé le pays par la force, se virent relégués au rang de minorité. Des islamistes et d'anciens officiers de Saddam Hussein fomentèrent des soulèvements et perpétrèrent des attentats. On vit même de jeunes chiites (dont Moqtada Sadr) prendre les armes et se retrancher dans des villes saintes du chiisme, espérant précipiter le départ des Américains et s'emparer au plus vite du pouvoir. Des affrontements trop sanglants furent évités grâce à l'intervention des autorités spirituelles du chiisme, lequel, à la différence du sunnisme, possède un puissant clergé très hiérarchisé.

Les rivalités entre sunnites et chiites ne seraient pas devenues aussi exacerbées si des personnalités chiites n'avaient été assassinées et si des attentats de plus en plus nombreux n'avaient été perpétrés contre les chiites, notamment à Bagdad, en une explosion de violence dans laquelle le rôle d'Al-Qaida, dirigée en Irak par le fameux Zarkaoui, a été diabolique. En février 2006, la Mosquée d'or de Samarra, haut lieu du chiisme, fut détruite, entraînant aussitôt l'attaque par des chiites d'une centaine de mosquées sunnites. Les soldats américains (dont les pertes depuis le début du conflit sont relativement faibles, soit un peu plus de 3 000 tués) sont désormais repliés dans des périmètres de sécurité, notamment au centre de Bagdad, alors que la ville est à feu et à sang. En revanche, les pertes dans la population irakienne depuis la chute de Saddam Hussein se compteraient en centaines de milliers de morts. L'opinion américaine demande désormais le retour de ses soldats, mais le président Bush, qui a entre-temps perdu la majorité au Congrès, affirme malgré tout qu'une solution est en vue et que le retrait de l'armée américaine d'Irak aurait des conséquences catastrophiques, ce qui est probable. La situation est d'autant plus préoccupante que l'Iran, qui tient à manifester ses ambitions, affirme qu'il aura bientôt des armes nucléaires.

Les manifestations de puissance de l'Iran islamique

Les proclamations du président Ahmadinejad selon lesquelles « Israël devait être rayé de la carte » et « qu'il faudrait détruire cette tumeur cancéreuse » ont d'autant plus scandalisé et inquiété l'opinion occidentale, qu'elle soit européenne ou américaine, que celle-ci avait été informée, peu de temps auparavant, que l'Iran, sous prétexte de se doter de nouvelles centrales nucléaires, prépa-

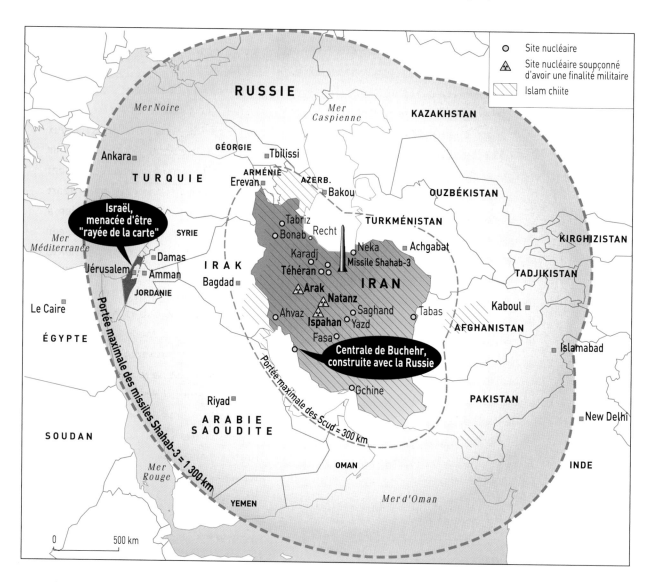

rait la fabrication de bombes atomiques. De surcroît, l'Iran a procédé à de spectaculaires lancements de fusées à longue portée, qui pourraient atteindre Israël et même l'Europe occidentale.

Les États-Unis en ont tiré argument pour installer en Europe centrale (Tchéquie) des batteries antimissiles, destinées à intercepter les fusées iraniennes, dont le lancement serait repéré par des radars installés dans le Caucase (en Géorgie ou en Arménie). Ces préparatifs ne plaisent guère aux Russes, lesquels ne démentent pas, par ailleurs, qu'ils contribuent aux préparatifs nucléaires de l'Iran, ni à ses performances en matière de fusées.

← **La menace nucléaire iranienne.** Cette carte représente de façon impressionnante la menace nucléaire que pourrait constituer l'Iran, notamment par rapport à Israël. Les Occidentaux font pression pour que Téhéran, qui a signé dans le passé le traité de non-prolifération nucléaire (TNP), abandonne son programme à destination militaire, mais se heurtent à un refus catégorique. La Russie et l'UE tentent de jouer la carte de l'apaisement. Cependant, les craintes de l'équipe dirigeante à Téhéran vis-à-vis d'une implantation américaine dans la région (Irak, Afghanistan) et d'un durcissement de la communauté sunnite à son égard poussent, semble-t-il, celle-ci à l'intransigeance. La «bombe islamique» est déjà détenue par le Pakistan, et des soupçons pèsent à cet égard sur l'Arabie saoudite, voire sur l'Égypte. L'Arabie saoudite et les monarchies du golfe Persique, tout comme Israël, redoutent que l'Iran détienne un jour une force de frappe nucléaire, alors même que les fusées iraniennes à moyenne portée viennent d'être utilisées par le Hezbollah dans la récente guerre du Liban.

Les médias en sont venus à évoquer l'hypothèse d'une intervention américaine en Iran. Certes, deux des plus gros porte-avions américains, avec leurs escadres, sont dans le golfe Persique et à son débouché en mer d'Oman. Mais le bombardement de sites nucléaires, quand bien même serait-il efficace, aurait probablement pour effet de faire affluer un grand nombre de volontaires iraniens en Irak, y rendant la situation encore plus mauvaise pour les Américains.

Quoiqu'il faille prendre très au sérieux les menaces d'Ahmadinejad, il faut tenir compte qu'il n'a pas les pouvoirs qui sont reconnus dans d'autres pays à la plupart des chefs d'État. Le président iranien a plutôt le rôle d'un premier ministre, car l'autorité supérieure y est exercée par le Guide suprême de la révolution, Ali Khamenei, qui a succédé à l'ayatollah Khomeiny, à la mort de ce dernier en 1989.

L'appareil d'État iranien est du reste d'une grande complexité. C'est une théocratie fondée sur le pouvoir du clergé chiite, qui est très hiérarchisé. À la base, les mollahs – près de 200 000 – veillent au respect des règles religieuses (les femmes doivent par exemple être voilées) et à l'administration locale. Au sommet se trouve le Guide suprême, désigné (après la mort de son prédécesseur) par une Assemblée des experts, formée de 86 mollahs, dont le pouvoir est censé émaner de Dieu. Cette Assemblée des experts approuve aussi la désignation d'un président de la République et d'un gouvernement par une Assemblée, le Majlis, dont les 290 députés sont élus au suffrage universel par la population. Celle-ci peut voter pour différents partis. De multiples signes montrent que ce système théocratique n'est plus guère approuvé par la population. Aux dernières élections, celle-ci, ayant été déjà déçue par des promesses de réformes, s'est massivement abstenue. C'est ce qui a permis l'élection d'Ahmadinejad, soutenu par les Pasdarans, les « gardiens de la révolution », constitués en 1979 lors de la révolution de Khomeiny et durant la guerre avec l'Irak, lesquels se sont dans une grande mesure substitués à l'armée qu'avait créée le shah. Leur force militaire et politique en fait le soutien du régime, mais il est probable qu'Ahmadinejad ne sera pas réélu à de prochaines élections ; l'appui du Guide suprême ne lui est guère acquis et il peut être victime d'un attentat.

Cependant la question du nucléaire suscite l'unité de tous les Iraniens, convaincus que leur pays, tout autant que l'Inde et le Pakistan, a le droit de se doter de la puissance atomique. Le Conseil de sécurité des Nations unies a pris des sanctions économiques contre l'Iran, qui avait signé en 1970, au temps du shah, le traité

↘ **Les peuples d'Afghanistan.** Le caractère très montagneux de l'Afghanistan et la multiplicité des tribus ou ethnies qui le peuplent se sont combinés pour faire de cette nation le théâtre d'oppositions internes récurrentes. Au Sud et à l'Est, les Pachtouns, dominants (plus de 35 % de la population), sont sunnites et de langue pachto. Contre eux se dressent traditionnellement les peuples du Centre et du Nord, Tadjiks (sunnites, de langue iranienne), Ouzbeks et Turkmènes (sunnites et turcophones) et Hazara (chiites et de langue iranienne). Le pouvoir de Kaboul, la capitale, à la limite des zones pachtoune et tadjike, est largement rejeté par les différentes tribus qui obéissent d'abord à leurs chefs respectifs quand ce n'est pas à de véritables « seigneurs de la guerre ».

de non-prolifération nucléaire. C'est en effet le shah qui avait lancé, en liaison avec la France, le programme de construction de centrales nucléaires, estimant que les ressources pétrolières de l'Iran n'auraient qu'un temps.

L'Iran ne peut guère s'engager dans une épreuve de force avec l'ONU et les États-Unis, car ses moyens militaires, pour le moment, ne sont pas très importants. Paradoxalement, c'est dans le domaine pétrolier que l'Iran pâtirait le plus d'un blocus. En effet, si de nombreuses compagnies (japonaises, chinoises, indiennes) viennent lui acheter son pétrole brut, l'Iran est obligé d'importer du pétrole raffiné, car, depuis la destruction de la grande raffinerie d'Abadan durant la guerre contre l'Irak, il n'a guère de capacité de raffinage. Quoi qu'il en soit,

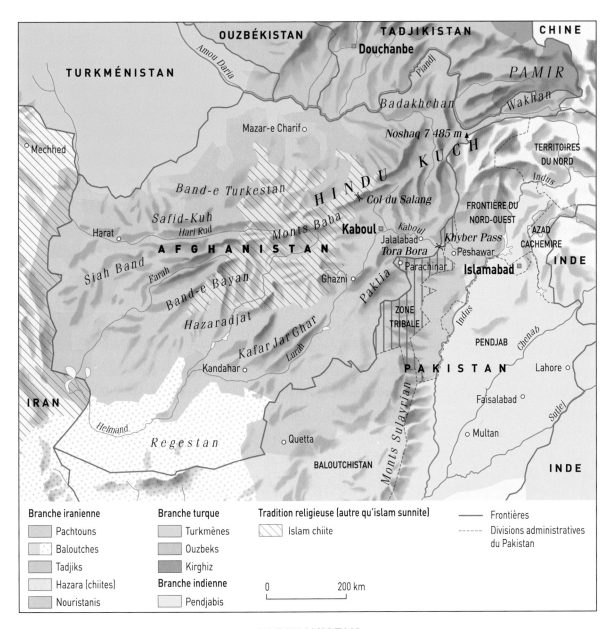

Branche iranienne

- Pachtouns
- Baloutches
- Tadjiks
- Hazara (chiites)
- Nouristanis

Branche turque

- Turkmènes
- Ouzbeks
- Kirghiz

Branche indienne

- Pendjabis

Tradition religieuse (autre qu'islam sunnite)

- Islam chiite

Frontières

Divisions administratives du Pakistan

0   200 km

les projets nucléaires de l'Iran chiite sus-
citent l'inquiétude des dirigeants des
pays arabes. L'Arabie et l'Égypte envisa-
gent des projets du même genre.

L'AFGHANISTAN

Depuis plus de vingt-cinq ans, à compter
de son invasion par l'armée soviétique (fin
1979), l'Afghanistan reste l'un des points

les plus chauds de la géopolitique mondiale, bien que, au premier abord, les raisons de cette importance ne soient pas évidentes. Ce pays enclavé, traversé par une très grande chaîne de montagnes (l'Hindou Kouch) et bordé à l'est par d'autres montagnes, n'a en effet guère de ressources minières et n'est pas situé sur un grand axe géostratégique. Et pourtant, depuis 150 ans, il suscite la rivalité géopolitique de grandes puissances. En observant sa position sur une carte de l'ensemble de l'Asie, on voit qu'il se trouve précisément entre l'ex-empire russe au nord-ouest et l'ex-empire des Indes britanniques au sud-est. Pour éviter de s'affronter et de se donner la peine de conquérir ce pays aux redoutables guerriers musulmans, ces deux empires décidèrent de le neutraliser, d'en faire une sorte de « zone tampon » en y choisissant comme roi le chef d'une confédération de tribus. Aussi l'Afghanistan resta-t-il isolé dans ses traditions tribales jusqu'au milieu du XXᵉ siècle. L'Inde, s'étant divisée en deux États lors de son indépendance (1947), l'Afghanistan devint voisin du Pakistan.

À partir des années 1960, l'URSS contribua à la modernisation de l'Afghanistan, dont elle était voisine et, en 1978, ce furent des Afghans communistes qui prirent le pouvoir à Kaboul. Mais les réformes qu'ils voulurent mettre en œuvre provoquèrent la fureur des mollahs (religieux musulmans) et une grande révolte des tribus. Pour sauver les nombreux techniciens soviétiques qui y avaient été envoyés, l'Armée rouge envahit l'Afghanistan (décembre 1979), mais se heurta à la résistance acharnée des combattants afghans. Ceux-ci reçurent bientôt par le Pakistan et par l'entremise de divers personnages dont Oussama Ben Laden des armes et l'aide financière des États-Unis et de l'Arabie saoudite. Par ailleurs, pour fuir les bombardements soviétiques, beaucoup d'habitants s'installèrent au Pakistan, près de la frontière, dans des districts où se trouvaient déjà de nombreux Afghans, les Anglais, en traçant à la fin du XIXᵉ siècle la frontière du pays, ne s'étaient pas souciés de délimiter clairement le peuplement afghan.

En 1988, l'Armée rouge quitta l'Afghanistan, en laissant à Kaboul un gouverne-

L'Afghanistan en chiffres

Superficie	650 000 km²
Population	24,9 millions, dont Pachtouns (35 %), Tadjiks (35 %), Hazara, Ouzbeks, Turkmènes (30 %)
Capitale	Kaboul (2,5 millions)
Part de la population urbaine	21, 6 %
Taux de natalité	46,7 ‰
Espérance de vie	46,5 ans

ment qui se débrouilla tant bien que mal pendant trois ans, aidé financièrement par l'URSS. Alors que l'on pensait que le pays allait retrouver la paix, toute une série de conflits éclatèrent, non seulement entre tribus, mais entre populations de langues diverses : les Pachtounes, qui parlent pachtou, les Tadjiks, qui parlent tadjike, une langue très proche du persan. On isole parmi ces derniers les Hazaras chiites, opprimés par l'ensemble des Afghans, qui sont farouchement sunnites. Toutes ces tribus, outre leur différence de langue, ont été surtout manipulées par des partis politiques plus ou moins rivaux, quoique, pour la plupart, islamistes, dont les chefs, basés au Pakistan, disposaient de sommes considérables, fournies par l'Arabie saoudite et les Émirats du Golfe. À tout cela se sont ajoutés les rivalités des trafiquants de drogue, car l'Afghanistan était devenu le principal exportateur d'opium et d'héroïne, et le rôle des services secrets pakistanais, nombre d'officiers de l'armée pakistanaise étant pachtounes, qu'ils soient nés à l'est ou à l'ouest de la frontière.

En 1994, au milieu des luttes opposant les divers partis afghans, apparurent les talibans (en arabe, *taleb* signifie « étudiant »), jeunes combattants ultra-islamistes venus du Pakistan, où se trouvaient les centres de théologie et les

La « ligne Durand »

Au sud de la fameuse passe de Khyber qu'emprunta Alexandre le Grand pour atteindre l'Inde, la frontière orientale de l'Afghanistan, telle qu'elle a été tracée en 1892 sur les instructions de lord Mortimer Durand (vice-roi des Indes), passe par le milieu des montagnes qui sont le domaine de tribus pachtouns, célèbres pour leur valeur guerrière. Les tribus qui sont situées à l'est de cette fameuse « ligne Durand », en bordure des plaines de l'Indus, ont été laissées pratiquement libres dans le cadre de l'empire des Indes. Elles ont fourni traditionnellement de bons soldats et même des officiers à l'armée britannique comme, de nos jours, à l'armée pakistanaise. Les Anglais jugèrent que, du fait même de leur indocilité, elles constituaient un écran solide pour isoler l'Afghanistan de l'Inde. De nos jours, on distingue, au sein du même groupe ethnique, les Pachtouns d'Afghanistan et les Pathans du Pakistan. Ces derniers sont concentrés dans les « territoires tribaux » qui ont conservé leur autonomie au sein du Pakistan et où se sont réfugiés les talibans après l'offensive américaine d'octobre 2001.

couvents où ils avaient été formés. Avec l'aide de l'armée pakistanaise, les talibans s'imposèrent en 1996 à toutes les factions et firent la conquête de l'Afghanistan, sauf le nord-est, où s'était retranché le commandant Massoud, lequel refusait leur obscurantisme et la tutelle pakistanaise. Peu après leur victoire, les talibans fondèrent un émirat d'Afghanistan, où vint s'installer Oussama Ben Laden, qui y fonda des centres de formation et d'entraînement pour les volontaires d'Al-Qaida, en provenance de pays arabes, d'Asie centrale et du Caucase, au vu et au su des services secrets américains. C'est à partir de ces bases afgha-nes que l'organisation terroriste a tissé un réseau mondial, lequel, depuis l'Alle-magne et l'Espagne, mit au point la pré-paration des attentats du 11 septembre 2001 à New York et à Washington. Pen-dant ce temps, les Américains étaient en négociation avec les talibans pour la construction via l'Afghanistan oriental d'un gazoduc reliant le Turkménistan à la côte du Pakistan sur l'océan Indien.

Immédiatement après le 11-Septembre, le président des États-Unis exigea des talibans l'arrestation et la livraison de Ben Laden, ce qu'ils lui refusèrent, per-suadés qu'ils étaient hors d'atteinte des raids américains et qu'ils pouvaient tou-jours compter sur le soutien du Pakistan. Grâce au ravitaillement en vol, les bom-bardiers B 52 américains purent faire leur rotation entre Kaboul et leur base de Diego Garcia, dans l'océan Indien, et détruire les installations d'Al-Qaida. Les talibans, qui comptaient retourner au Pakistan, d'où la plupart d'entre eux étaient venus et où ils avaient le soutien

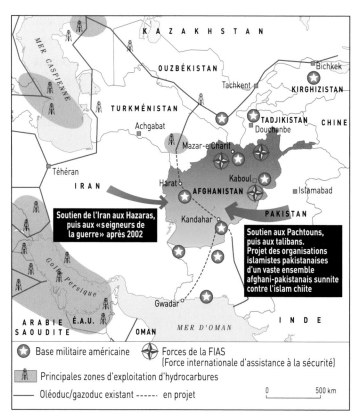

↙ Le nouveau « grand jeu » afghan. Ce qu'on appelle le « grand jeu » afghan concerne la rivalité sur le contrôle de ce pays qui opposa au XIXe siècle les empires Britannique et Russe. En 2005, quatre ans après l'intervention militaire menée par les Américains pour chasser du pouvoir le régime des talibans, l'Afghanistan demeure sous le contrôle de plusieurs puissances étrangères. Les Américains tentent d'y installer un régime plus ou moins démocratique qui leur serait favorable (et avec lequel il serait possible de négocier l'installation d'un oléoduc acheminant le pétrole de la Caspienne vers la mer d'Oman). Les Pakistanais, du moins les organisations islamistes de ce pays, n'ont pas abandonné le projet d'une relation étroite avec leur voisin du nord-ouest à qui ils sont liés par de très forts liens tribaux entre Pachtouns afghans et Pathans pakistanais. L'Iran joue la carte de l'ethnie Hazara, chiite et de langue iranienne, contre l'hégémonie pachtoune, tandis que la Russie ne néglige pas l'option tadjike pour maintenir son influence.

des puissants partis islamistes, furent pris de court par le soudain ralliement aux États-Unis du gouvernement pakistanais. Certes, l'alliance des deux États était traditionnelle, mais, depuis la mise au point de la bombe atomique pakistanaise, dénommée « bombe islamique », la Maison Blanche avait grandement réduit l'aide financière massive qu'elle accordait au Pakistan. Or, le général Mucharraf venait d'y prendre le pouvoir, par un quasi-coup d'État, et il accepta, malgré les imprécations des islamistes, mais moyennant une très grosse aide financière américaine, de contrôler ses frontières pour empêcher les talibans et Ben Laden de s'implanter dans son pays. La démocratie étant théoriquement restaurée en Afghanistan et une aide internationale généreuse lui étant accordée, un gouvernement fut mis sur pied, sous la présidence d'Hamid Karzai (qui dirigeait les négociations avec les talibans pour le gazoduc) et sous la protection de contingents américains, relayés aujourd'hui par des Européens, sous l'égide de l'OTAN. Toutefois, la production d'héroïne et d'opium, que le pouvoir taliban avait un peu freinée, bat aujourd'hui tous ses records, Ben Laden reste introuvable, et les talibans (pour la plupart des Pachtounes) se réimplantent à partir du Pakistan et des régions pachtounes dont ils étaient originaires. Les Américains font pression sur le général Mucharraf pour que l'armée pakistanaise détruise au Pakistan les bases des talibans et d'Al-Qaida. Mais celles-ci se situent le long de la frontière, dans la « zone tribale » où pas plus les autorités britanniques par le passé, que celles du Pakistan aujourd'hui, ne se sont jamais souciées réellement des tribus qui s'y trouvaient. Sous la pression des partis islamistes, l'armée pakistanaise refuse, en fait, d'intervenir dans cette zone. Le président Mucharraf, qui a échappé à trois tentatives d'assassinat, doit en outre faire face actuellement à une situation intérieure très difficile, l'ensemble de la population dénonçant son alliance avec les États-Unis.

LE PAKISTAN

Cet État musulman (165 millions d'habitants) correspond essentiellement à l'espace arrosé par l'Indus et ses affluents, qui descendent de l'Himalaya. Il résulte de la « partition » de l'Inde en 1947, État avec lequel ses relations sont plus ou moins tendues, de telle sorte que les deux pays sont par trois fois déjà

Le Pakistan en chiffres

Population	144 970 000 d'habitants
Superficie	803 000 km²
PNB	78 milliards de dollars

entrés en guerre. Si elle l'a emporté chaque fois, l'armée indienne n'a pu pousser son avantage, car le Pakistan est allié de la Chine, qui, depuis le Tibet, fait plus ou moins pression sur l'Union indienne. À l'égard de celle-ci, l'hostilité du Pakistan tient principalement à la question du Cachemire (12 millions d'habitants), région située au nord-ouest de l'Inde. En 1947, lorsque des millions de musulmans ont fui l'Inde (dans le même temps que des millions d'hindous fuyaient le Pakistan), l'armée indienne fut appelée à l'aide contre les pillards « afghans » par le maharadjah hindou qui régnait au Cachemire, peuplé pourtant en majorité de musulmans. Malgré les tentatives pakistanaises puis islamistes de provoquer une révolte massive des Cachemiris contre elle, l'Inde s'est maintenue au Cachemire, ses montagnes étant prétendument le foyer d'origine des brahmanes, la caste indienne supérieure. Jugée scandaleuse par les Pakistanais, la question du Cachemire est considérée comme naturelle par le gouvernement indien, puisque bien d'autres musulmans (plus de 100 millions) vivent en Inde en profitant des fondements laïques (le « sécularisme ») de sa politique intérieure. En revanche, au Pakistan, ne sont citoyens que des musulmans, et encore est-il préférable qu'ils ne soient pas chiites, ces derniers étant

souvent l'objet d'agressions. Le pays est, du reste, marqués par des tensions multiples et constantes. Les musulmans pour la plupart aisés qui en 1947 sont venus de l'Inde, les mohadjirs, sont encore mal vus par la majorité de la population ; les habitants du Sind s'estiment méprisés par les Pendjabis et les Pathans du Nord ; le Baloutchistan est en état de révolte larvée contre Islamabad. À cela s'ajoute la diversité des langues parlées, dont l'officielle est l'ourdou (proche de l'hindi parlé en Inde et du persan). Depuis son origine, les partis plus ou moins islamistes ont une grande importance au Pakistan ; ils sont

→ **Le Pakistan : régions, ethnies et points chauds.** Un diplomate américain a qualifié un jour le Pakistan d'« État d'insécurité ». Le fait est que le pays est marqué par des tensions multiples et constantes. La minorité chiite (notamment à Karachi) se sent menacée par la majorité sunnite, les populations du Sind s'estiment méprisées par les Pendjabis et les Pathans du Nord qui jouent un grand rôle dans les cadres de l'armée. Les mohadjirs, c'est-à-dire les familles de musulmans relativement aisés qui ont fui l'Inde en 1947, sont jalousés par de nombreux Pakistanais. Les régions frontalières de l'Afghanistan, dites « aires tribales », échappent largement au contrôle gouvernemental, tandis que le Baloutchistan est en état de révolte larvée contre les forces d'Islamabad. Les militaires s'opposent au personnel politique civil et les puissants mouvements islamistes du pays rejettent catégoriquement la politique de rapprochement avec les États-Unis et d'apaisement avec l'Inde du général Mucharraf.

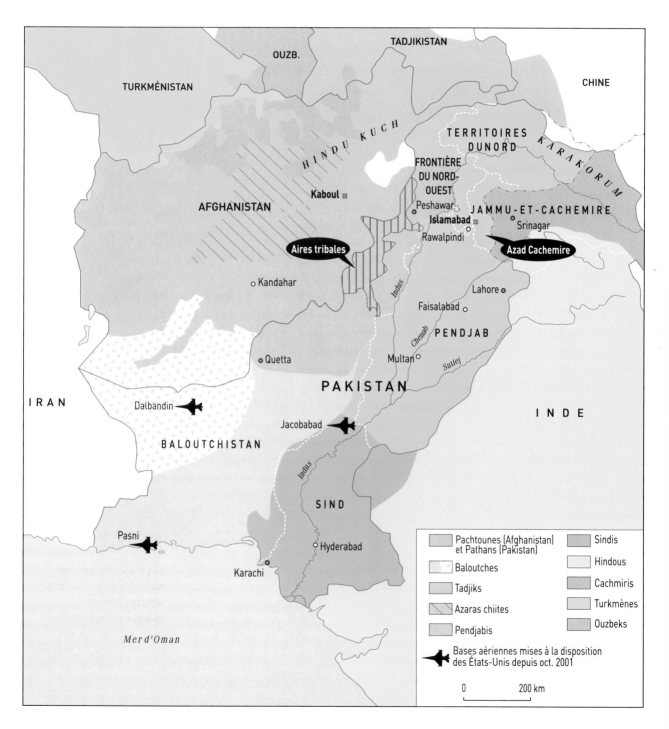

TADJIKISTAN

OUZB.

TURKMÉNISTAN

CHINE

HINDU KUCH

TERRITOIRES
DU NORD

KARAKORUM

FRONTIÈRE
DU NORD-
OUEST

Kaboul

AFGHANISTAN

Peshawar

JAMMU-ET-CACHEMIRE

Islamabad

Srinagar

Rawalpindi

Aires tribales

Azad Cachemire

Kandahar

Lahore

Faisalabad

PENDJAB

Chenab

Indus

Quetta

Multan

Sutlej

PAKISTAN

IRAN

INDE

Dalbandin

Jacobabad

BALOUTCHISTAN

Indus

SIND

Pasni

Hyderabad

Karachi

Mer d'Oman

Pachtounes (Afghanistan) et Pathans (Pakistan)	Sindis
Baloutches	Hindous
Tadjiks	Cachmiris
Azaras chiites	Turkmènes
Pendjabis	Ouzbeks

Bases aériennes mises à la disposition des États-Unis depuis oct. 2001

0   200 km

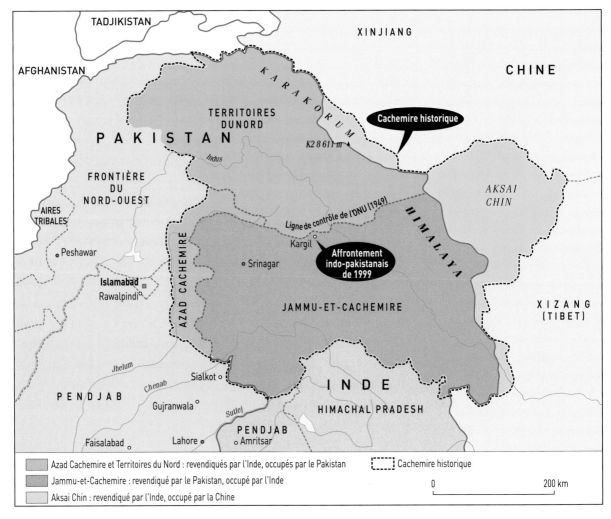

Légende :

- Azad Cachemire et Territoires du Nord : revendiqués par l'Inde, occupés par le Pakistan
- Jammu-et-Cachemire : revendiqué par le Pakistan, occupé par l'Inde
- Aksai Chin : revendiqué par l'Inde, occupé par la Chine

Cachemire historique

0   200 km

↗ Les guerres des deux Cachemire.

Lors de la partition de 1947, le Cachemire, largement musulman, est dirigé par un maharadjah hindou, Hari Singh. Celui-ci choisit le rattachement non au Pakistan mais à l'Union indienne. Depuis, trois guerres ont eu lieu entre les deux grands États. Le Cachemire est désormais divisé en deux, entre le Jammu-et-Cachemire indien et le Azad Cachemire pakistanais. Ce foyer de tension permanent est devenu un point chaud crucial depuis que les deux protagonistes disposent de l'arme nucléaire. En 1999, lors de la guerre dite de Kargil (du nom d'une localité de la région), on a craint le pire, le Pakistan venant juste d'accéder à la puissance atomique. À partir de 2003, cependant, on assiste à une certaine détente entre les deux pays, dont les dirigeants ont déclaré, en 2005, que le processus de paix entre eux était « irréversible ». Le terrible tremblement de terre de l'automne 2005 dans le Cachemire pakistanais a déclenché un réel mouvement de solidarité chez son voisin et rival indien.

d'ailleurs généralement les soutiens des gouvernements militaires qui ont exercé le pouvoir, sous prétexte de faire face à l'Union indienne.

Celle-ci, en raison de sa politique socialisante, mais aussi de la menace chinoise, avait noué de bonnes relations avec l'URSS, qui, dès 1958, s'était opposée à la Chine de Mao Zedong. Du coup, les militaires pakistanais se sont tournés vers Pékin, non sans obtenir également le soutien des États-Unis. C'est d'ailleurs par l'entremise du Pakistan que le gouvernement américain a noué en 1972 des relations avec Mao Zedong, alors qu'il dénonçait l'impérialisme américain au Vietnam. C'est par la Chine (et sans doute un peu par les Américains) que le Pakistan a acquis les moyens techniques et scientifiques de fabriquer la bombe atomique. L'Union indienne possédant également l'arme nucléaire, on assiste depuis quelques années à une certaine détente entre les deux pays. La menace indienne a sans doute fortement incité le général Mucharraf à soutenir les Américains contre les talibans, les États-Unis et Israël ayant tissé des relations de coopération scientifique et militaire avec l'Union indienne.

Mais ces relations d'équilibre Inde-Pakistan-États-Unis risquent d'être rompues si les islamistes renversent Mucharraf et prennent le pouvoir au Pakistan. Non seulement ils pourront alors apporter aux talibans le soutien de l'armée pakistanaise, mais il n'est pas impossible qu'ils soutiennent l'Iran dans son épreuve de force avec l'ONU et les États-Unis sur la question nucléaire, mais aussi dans la crise irakienne, bien que le Pakistan soit majoritairement sunnite, et l'Iran, chiite. Il est du reste désormais prouvé (par les révélations récentes du colonel Kadhafi) que le fameux docteur Adbul Qadeer Khan a en partie vendu à l'Iran et à la Corée du Nord le programme nucléaire qu'il avait dirigé au Pakistan. Dans les rapports de force au Moyen-Orient, le rôle de ce pays pourrait ainsi être considérable s'il virait à l'extrémisme islamiste. ■

« Le choc des civilisations » ?

Lancée en 1993 aux États-Unis par le titre du livre d'un politologue réputé, Samuel Huntington, l'expression « choc des civilisations » a depuis fait l'objet de nombreux commentaires, plus ou moins hostiles, essentiellement aux États-Unis et en Europe. L'ouvrage fut en revanche fort bien reçu dans le monde musulman, tout particulièrement par les islamistes, qui y trouvaient la confirmation de leur thèse principale, selon laquelle l'Occident (ou ce qu'ils appellent le « monde judéo-chrétien ») n'aurait d'autre projet que de pervertir, puis détruire le monde musulman, en s'attaquant à l'islam. Ils ne manquèrent pas alors de rappeler les croisades que les chrétiens lancèrent au Moyen Âge sur la Palestine, puis la conquête de celle-ci par les Israéliens avec le soutien des États-Unis, la guerre que les Russes menèrent plus tard aux musulmans (Afghans, Tchétchènes) et enfin, pour le présent, la guerre que les Américains conduisent en Irak, en occupant Bagdad, qui fut un des hauts lieux de la civilisation musulmane.

Pour définir ce qu'il appelle des « civilisations », Huntington accorde une grande importance aux faits religieux (ou d'origine religieuse) ; aussi le choc dont il parle est-il avant tout celui des très grandes religions, celles qui comptent chacune plusieurs centaines de millions de fidèles ; de ce fait, il n'évoque guère les Juifs. Son propos ne s'attache pas seulement aux mondes musulman et chrétien, mais aussi au monde chinois (bien qu'il n'ait pas de religion, au sens précis du terme), au monde hindou et aux rapports de l'un et de l'autre avec le monde musulman.

En dépit de la politique de laïcité (sécularisme) menée dans l'Union indienne par

Monde

L'origine de ce mot est obscure. « Monde », avec des sens proches de ceux qu'on lui connaît aujourd'hui, a d'abord désigné la Terre et les astres, l'ensemble de tout ce qui existe, les choses et les êtres, puis surtout la Terre et aussi les hommes qui s'y trouvent. Au XVIᵉ siècle apparaît l'expression le « Nouveau Monde » pour désigner l'Amérique, ce continent que la Bible ne mentionnait pas, par opposition à l'Ancien Monde, l'Europe, l'Asie et l'Afrique. À partir du XVIIᵉ siècle, le mot « monde » sera utilisé pour désigner couramment, de façon tout à la fois géographique et ethnologique, des ensembles spatiaux complexes et de grande taille, qui présentent chacun des caractéristiques particulières : le monde chrétien, le monde arabe, le monde musulman, le monde tropical, le tiers-monde, etc., mais aussi une partie de la société, par exemple, sa partie distinguée (le beau monde, la vie mondaine), par opposition à « tout le monde ».

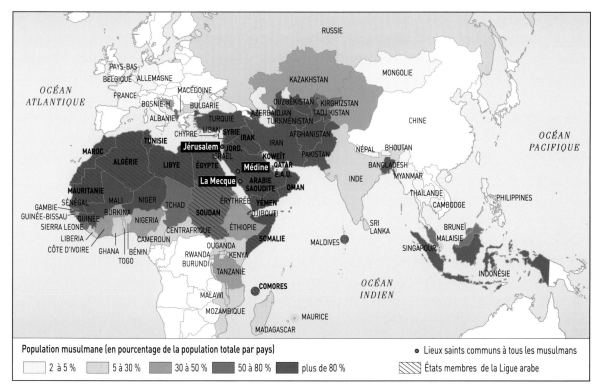

Population musulmane (en pourcentage de la population totale par pays)

2 à 5 %   5 à 30 %   30 à 50 %   50 à 80 %   plus de 80 %

● Lieux saints communs à tous les musulmans

▨ États membres de la Ligue arabe

le principal parti (le Parti du Congrès), les tensions existent en effet entre les hindous et la minorité musulmane, dont le parti hindouiste (BJP) veut réduire les droits. De plus, les guerres n'ont pas manqué entre l'Inde et le Pakistan, dirigé par des militaires islamistes. L'un et l'autre pays sont désormais dotés d'armes nucléaires. Aussi une grave confrontation entre le monde hindou (un milliard d'hommes) et le monde musulman (un milliard trois cents millions) n'est-elle pas à exclure. La Chine, pour elle, dont la partie occidentale est peuplée de musulmans turcophones, s'inquiète des agis-

↑ **Le monde musulman.** D'ouest en est, le monde musulman s'étend sur 15 000 km de l'Atlantique au Pacifique, de la Mauritanie à l'Indonésie et aux Philippines ; dans cet ensemble, il faut noter une interruption presque complète de 3 000 km qui correspond à l'Union indienne et à l'Indochine ; du nord au sud il s'étend sur 9 000 km de l'Oural en Russie et en Afrique, jusqu'au nord du Mozambique. Dans ce monde musulman qui compte environ 1,3 milliard d'hommes et de femmes, il faut

distinguer cinq grands ensembles : le monde arabe (250 millions de la Mauritanie, à l'Irak et à l'Oman), le monde turco-persan (Turquie, Iran, Asie centrale, Ouest de la Chine, 200 millions), le monde indien (Pakistan, Bangladesh, musulmans de l'Inde, 400 millions), l'Asie du sud-est (Indonésie, Malaisie, 250 millions) et l'Afrique tropicale (250 millions dont 60 au Nigeria)

sements des mouvements islamistes, et, en Asie du Sud-Est, sa rivalité avec l'Indonésie, le plus peuplé des pays musulmans, est notoire.

C'est cependant au conflit entre l'islam et l'Occident que les médias accordent aujourd'hui le plus d'importance. Il faut dire que les islamistes dirigent une grande partie de leurs diatribes et de leurs actions contre l'Europe et l'Amérique. Celles-ci, surtout depuis les attentats de New York et de Washington, puis de Madrid et de Londres, n'ont désormais de cesse de les combattre. Ce n'est pourtant pas l'argumentation de Huntington, dont le livre, paru en 1993, est très antérieur aux attentats de septembre 2001 contre le World Trade Center et le Pentagone.

Les civilisations ne sont pas des plaques géologiques

Huntington se représente le « choc des civilisations » un peu comme les géologues le font de l'écorce terrestre. Les « civilisations » de Huntington seraient donc de grandes plaques en mouvement sur lesquelles se trouvent des centaines de millions d'hommes et de femmes. Celles sur lesquelles la population s'accroît le plus rapidement repousseraient ou surmonteraient celles où la croissance démographique est faible. Ainsi la plaque du monde musulman, où les jeunes sont de plus en plus nombreux, s'étendrait-elle aux dépens de la plaque européenne, démographiquement en déclin.

Cette façon de voir les choses est d'allure géopolitique, car il s'agit de rivalités de pouvoir sur des territoires. Mais la métaphore géologique de Huntington et son corrélat démographique me paraissent tout à fait discutables. Ainsi,

L'Europe dans la tourmente islamiste

Après les attentats de Madrid (2004) et ceux de Londres (2005), l'Europe a définitivement pris conscience qu'elle était, elle aussi, une cible privilégiée de l'islamisme. D'autant qu'elle héberge plus de douze millions d'habitants d'origine musulmane, principalement en France, en Grande-Bretagne et en Allemagne. De fait, surtout dans la mouvance salafiste (la plus violente) de l'islamisme, l'Europe est considérée comme une terre de combat, c'est-à-dire de djihad (guerre sainte). Comme le montre Gilles Kepel, dans la géopolitique islamiste, le monde est divisé en deux grandes catégories, le dar al islam (terre d'islam) et le dar al koufr (terre d'impiété). Le dar al koufr est lui-même divisé en deux catégories, le dar al sohl (terre du pacte), où un modus vivendi est accepté avec le peuple impie, et le dar al harb (terre de guerre), où le djihad est prescrit. Pour la mouvance salafiste algérienne, l'Europe, du fait de sa collusion avec les États-Unis et les gouvernements « impies » des États musulmans, ou de ses pratiques considérées comme anti-islamiques (affaire du voile à l'école, en France), est désormais dar al harb, terre de combat. L'objectif très lointain est de la faire passer du statut générique de dar al koufr à celui de dar al islam, étant donné l'importance des populations musulmanes qui y résident.

dans l'un des secteurs où l'on peut estimer que le « choc des civilisations » est le plus marqué, soit en Méditerranée occidentale, où les migrations sont fortes entre le Maghreb et l'Union européenne, la façade sud est bien moins peuplée que la façade nord. Et les 12 à 15 millions d'hommes et de femmes de culture musulmane originaires d'Afrique et d'Asie qui vivent en Europe occidentale pèsent bien peu au regard d'une population de 380 millions d'habitants.

Il n'en reste pas moins vrai que se sont produits récemment des heurts et des conflits entre des musulmans et des Européens de culture chrétienne plus ou moins laïcisée. Ce fut le cas de la longue guerre d'indépendance de l'Algérie (1954-1962). Mais, à y regarder plus attentivement, il apparaît que le Front de libération nationale (FLN) qui dirigeait la lutte des Algériens n'a pas proclamé le *djihad,* la guerre sainte, pas plus que les Français ne se battaient pour la défense du christianisme. Cette guerre n'a donc aucunement été une guerre entre « civilisations » religieuses.

Des guerres civiles entre musulmans

Certes, à cette époque, les mouvements islamistes n'existaient pas encore au Maghreb. Ils n'ont acquis une réelle im-

---

Les pays musulmans données statistiques (2003)

Les pays dits musulmans
Afghanistan, Algérie, Arabie saoudite, Azerbaïdjan, Bahreïn, Bangladesh, Djibouti, Égypte, Émirats arabes unis, Indonésie, Iran, Irak, Jordanie, Kirghizistan, Koweït, Liban, Libye, Malaisie, Mali, Maroc, Mauritanie, Niger, Nigeria, Oman, Ouzbékistan, Pakistan, Qatar, Sénégal, Somalie, Soudan, Syrie, Tadjikistan, Tunisie, Turkménistan, Turquie, Yémen.

La plus forte population
Indonésie (220 millions d'habitants)

La plus forte richesse par habitant
Koweït (15 600 $/hab.)

La plus faible richesse par habitant
Mali (216 $/hab.)

Le plus fort budget militaire par rapport au PIB
Arabie saoudite et Qatar (10,9 %)

Le plus fort indice de fécondité   Niger (7,1)

Le plus faible indice de fécondité
Azerbaïdjan (2)

Chiffres France (comparatif)
PNB (1 381 milliards de $), PNB/hab. (22 622 $/hab.), budget militaire (2,1 % du PIB), indice de fécondité (1,9)

---

portance que trente ans après l'indépendance de l'Algérie. De 1992 à 2000, ils menèrent dans ce pays une véritable guerre civile, en perpétrant d'innombrables attentats et atrocités contre la population, sous prétexte qu'elle s'était éloignée de l'arabisme et des règles de l'islam, sous l'influence prétendument «perverse» d'Algériens francophones. Ceux-ci, qu'ils soient de culture arabe ou berbère, parlent et écrivent couramment le français et forment une active minorité (médecins, ingénieurs, professeurs, militaires, ouvriers, etc.) en contact étroit avec la France, où ont été s'installer nombre de leurs parents. La lutte entre islamistes extrémistes et musulmans démocrates a été aussi le moyen pour les militaires de se maintenir au pouvoir. Ils l'avaient confisqué dès les premières années d'indépendance de l'Algérie, pour l'exercer de façon encore plus dictatoriale dans leur lutte contre le Front islamiste du salut et le Groupe islamiste armé. Les violences que la police et l'armée exercèrent sur les islamistes firent que ceux-ci en appelèrent aux droits de l'homme et à la démocratie contre la tyrannie de chefs d'État corrompus, et soi-disant renégats de l'islam.

C'est d'ailleurs ainsi que, dans de nombreux pays, les islamistes se font entendre de la population, en imputant les causes de sa pauvreté au fait que les dirigeants ne se réfèrent pas strictement à la loi coranique, la charia. La dénonciation des abus du pouvoir n'est cependant pas la raison profonde des actions islamistes, dirigées en premier lieu contre tout mouvement ou organisation politiques qui ne se réfère pas à la loi cora-

nique et ne rejette pas explicitement l'inspiration plus ou moins laïque des mouvements démocratiques européens. C'est ainsi que le groupe des Frères musulmans, à l'origine de la plupart des mouvements islamistes actuels, s'est formé en 1928 en Égypte non par réaction contre les abus d'un pouvoir royal contrôlé par les Anglais, mais avant tout contre un grand parti égyptien, le Wafd, qui voulait finir de libérer l'Égypte et favoriser son développement à l'exemple des pays démocratiques européens. Après le départ des Anglais (1956), les Frères musulmans agiront de même contre le colonel Nasser, lorsqu'il promouvra le socialisme tout en voulant faire l'unité des pays arabes, pour qu'ils partagent les revenus du pétrole, ce qui ne faisait évidemment pas l'affaire de la monarchie saoudienne. Celle-ci s'est toujours appuyée, depuis le XIXᵉ siècle, sur la confrérie, elle aussi islamiste, des wahhabites, pour qui les énormes profits du pétrole n'étaient pas contraires à la charia, puisqu'ils servaient entre autres à construire des mosquées dans tous les pays musulmans. Les Frères musulmans égyptiens, pourchassés par Nasser, trouveront d'ailleurs abri en Arabie saoudite, avant que Sadate ne les laisse revenir en Égypte, où ils le feront assassiner pour avoir signé la paix avec Israël.

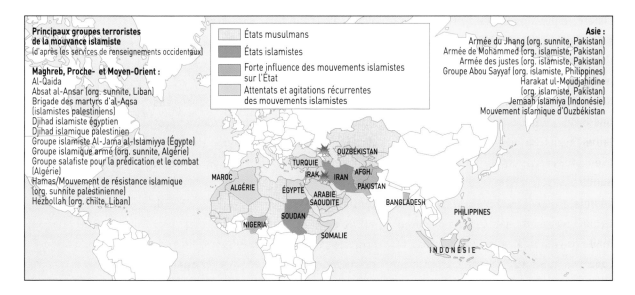

Principaux groupes terroristes de la mouvance islamiste
(d'après les services de renseignements occidentaux)

Maghreb, Proche- et Moyen-Orient :
Al-Qaida
Absat al-Ansar (org. sunnite, Liban)
Brigade des martyrs d'al-Aqsa
(islamistes palestiniens)
Djihad islamiste égyptien
Djihad islamique palestinien
Groupe islamiste Al-Jama al-Islamiyya (Égypte)
Groupe islamique armé (org. sunnite, Algérie)
Groupe salafiste pour la prédication et le combat
(Algérie)
Hamas/Mouvement de résistance islamique
(org. sunnite palestinienne)
Hezbollah (org. chiite, Liban)

États musulmans
États islamistes
Forte influence des mouvements islamistes
sur l'État
Attentats et agitations récurrentes
des mouvements islamistes

Asie :
Armée du Jhang (org. sunnite, Pakistan)
Armée de Mohammed (org. islamiste, Pakistan)
Armée des justes (org. islamiste, Pakistan)
Groupe Abou Sayyaf (org. islamiste, Philippines)
Harakat ul-Moudjahidine
(org. islamiste, Pakistan)
Jemaah islamiya (Indonésie)
Mouvement islamique d'Ouzbékistan

↗ Les mouvements islamistes dans le monde musulman.
Sur cette carte ont été schématiquement représentées diverses situations géopolitiques selon le rôle plus ou moins grand qu'y exercent des groupes islamistes : l'Iran est actuellement le seul État officiellement islamique (chiite). Ce fut aussi le cas de l'Afghanistan (sunnite) sous la domination des talibans de 1996 à 2001. Au Soudan, les islamistes sont proches du pouvoir et ils l'exerçaient en Somalie jusqu'à l'intervention éthiopienne de 2007. L'Arabie saoudite est en vérité un État islamique, mais il n'est pas djihadiste, car il ne prêche pas le djihad la guerre sainte.

Des luttes entre groupes islamistes

Les luttes entre groupes islamistes ne sont pas rares, loin de là. En Afghanistan, par exemple, après le départ des Soviétiques (1988), différents partis, tous plus islamistes les uns que les autres, se sont livré des luttes acharnées, jusqu'à ce qu'ils soient tous supplantés par les talibans, encore plus islamistes, lesquels ont bénéficié de l'appui direct des services secrets du Pakistan.

La fondation d'Al-Qaida s'inscrit dans un contexte assez analogue, Oussama Ben Laden ayant accusé la monarchie saoudienne d'avoir laissé profaner la terre sacrée de l'islam (non seulement les villes saintes de La Mecque et de Médine sont horm, c'est-à-dire « terre sacrée », mais l'Arabie tout entière) par la présence de soldats américains, donc chrétiens, depuis la guerre du Golfe (1991). Si les attentats-suicides du 11-Septembre, dont les acteurs furent en majorité des Saoudiens, ont été présentés comme la manifestation spectaculaire de la lutte du monde musulman contre l'hyperpuissance chrétienne. Al-Qaida est aussi l'expression d'une rivalité entre islamistes, ayant en vérité pour but de provoquer un conflit entre les États-Unis et l'Arabie saoudite. Une tentative de renversement de la dynastie saoudienne avec la complicité des services secrets américains aurait permis à Al-Qaida, quelque temps plus tard, de prendre le pouvoir en Arabie. L'appareil d'État saoudien, resté tout autant islamiste, est désormais lui aussi la cible d'attentats islamistes.

Des groupes qui cherchent à imposer leur pouvoir à l'ensemble des musulmans

Toutes ces rivalités entre différents groupes islamistes montrent que l'union n'existe guère entre les contempteurs les plus acharnés de l'Occident chrétien. Derrière leur volonté d'amener de gré ou de force les musulmans à rejeter toutes sortes de distractions, d'habitudes et d'aspirations qui n'existaient pas au temps du Prophète et qui ne sont même pas dénoncées dans le Coran, mais se sont développées, il y a quelques décennies, dans les pays musulmans comme dans le reste du monde, sous l'influence des médias occidentaux, les islamistes cherchent surtout en vérité à imposer

leur pouvoir et à se substituer aux autorités en place. La Palestine en présente un exemple parfait, où le Hamas, c'est-à-dire les Frères musulmans, s'oppose au Fatah, de tradition laïque puisqu'il rassemble des Palestiniens musulmans et chrétiens. Tout cela montre que la notion de « choc des civilisations » est erronée et qu'elle ne contribue qu'à faire le jeu des islamistes.

La rivalité des civilisations, une idée illusoire et dangereuse

D'une façon générale, il n'y a objectivement de choc entre grandes civilisations, mais à la rigueur des frictions géopolitiques sur leurs marges. Certes, en Europe comme aux États-Unis, une grande partie de la population s'inquiète des risques d'attentats fomentés par des islamistes, que les médias ont tendance à faire passer pour représentatifs de l'ensemble des musulmans. Or, il est une authentique résistance de démocrates musulmans. N'oublions pas non plus que les puissances chrétiennes se sont sauvagement battues entre elles, durant les Première et Seconde Guerres mondiales. Des dizaines de millions de personnes, toutes de culture chrétienne plus ou moins laïcisée, ont été tuées lors de ces deux conflits. Ce bilan dépasse de beaucoup celui de toutes les guerres coloniales et des luttes aux pourtours du monde musulman. ∎

Géopolitique du pétrole et du gaz

Depuis quelques années, la presse évoque fréquemment les problèmes géopolitiques liés au pétrole et, plus récemment, au gaz. L'accentuation de tensions géopolitiques au Moyen-Orient, entraîne des hausses des cours du pétrole. Après une longue période durant laquelle ils ont été relativement bas, ceux-ci ont connu une forte hausse depuis 2003, c'est-à-dire depuis le début de la guerre d'Irak. La majeure partie de l'opinion européenne s'est persuadée que cette guerre est due au fait que les Américains avaient besoin du pétrole irakien. Or, depuis la guerre du Golfe (1991), l'Irak était soumis par l'ONU et surtout par les États-Unis à un embargo de ses exportations pétrolières, destiné à l'empêcher d'acheter de nouveaux armements. Si, dans cette période 1991-2003, les Américains avaient eu tant besoin de ce pétrole, l'embargo aurait été levé. En fait, comme on l'a vu précédemment, l'intervention américaine en Irak est une des conséquences des attentats du 11 septembre 2001, les dirigeants américains s'étant convaincus que Saddam Hussein pouvait être devenu complice d'Oussama Ben Laden. C'est l'inquiétude suscitée par cette guerre qui a provoqué la hausse considérable des prix du pétrole dans le monde.

Les passages géostratégiques

Le pétrole, plus que le gaz, fait l'objet d'un trafic mondial, principalement par voie maritime. Bon nombre des routes empruntées par les navires pétroliers sont des passages relativement étroits, où des armées et des groupes terroristes peuvent bloquer la navigation. C'est le cas du canal de Suez, où transitent les pétroliers allant du golfe Persique à la Méditerranée, puis vers la mer du Nord par le détroit de Gibraltar. À titre de sûreté, l'Égypte a doublé le canal par un oléoduc sud-nord.

Entre la mer Noire et la Méditerranée, le détroit du Bosphore, qui traverse l'agglomé-

Les dix premiers producteurs de pétrole au monde

Rang	Pays	Production (en Mt)	Part de la production mondiale (en %)
1	Arabie saoudite	505,9	13,1
2	Russie	458,7	11,9
3	États-Unis	329,8	8,5
4	Iran	202,6	5,2
5	Mexique	190,7	4,9
6	Chine	174,5	4,5
7	Venezuela	153,5	4,0
8	Norvège	149,9	3,9
9	Canada	147,6	3,8
10	Émirats arabes unis	125,8	3,3

Source : BP Statistical Review of World Energy 2005

ration d'Istanbul, et celui des Dardanelles ont eu une grande importance stratégique, non seulement pour le trafic pétrolier, mais aussi pour le passage des navires soviétiques. La construction récente de l'oléoduc Bakou-Ceyhan a réduit de beaucoup le trafic pétrolier dans les détroits turcs, mesure de sécurité imposée par le gouvernement. Un oléoduc est prévu à l'ouest des détroits. Autre espace d'importance géostratégique, le détroit d'Ormuz (Hormuz), par où s'effectue le passage des navires entre le golfe Persique et l'océan Indien. La rive sud du détroit est dominée par un cap escarpé dépendant de l'État du Qatar, et la rive nord est tenue par l'Iran, qui détient de surcroît plusieurs îles au milieu du détroit, ce qui oblige les navires à passer dans les eaux iraniennes. En cas d'aggravation de la crise provoquée par les sanctions de l'ONU pour contraindre l'Iran à cesser son programme nucléaire, le détroit d'Ormuz pourrait être bloqué. Pour y faire face, l'Arabie saoudite a fait construire un grand oléoduc de la côte du golfe Persique à Yanbu, sur la mer Rouge. Le détroit de Bab el Mandeb, entre la pointe sud du Yémen et la côte de Djibouti, est aussi un passage stratégique vers la mer Rouge. Il risque d'être menacé par des raids terroristes de groupes islamistes, particulièrement actifs dans la Somalie voisine. Le détroit de Malacca, entre la péninsule de Malaisie

et l'île indonésienne de Sumatra, est aussi un passage très important pour les navires qui vont du golfe Persique et de l'océan Indien vers la mer de Chine et le Pacifique. Ce détroit, qui est encombré d'îles dans sa portion sud-est vers Singapour, est surtout infesté de pirates.

Des gisements pétroliers très différents

Localisés dans les bassins sédimentaires et présentant des caractéristiques géologiques différentes, les gisements pétroliers ont des rendements extrêmement variables, non seulement en raison de l'importance de leurs réserves, mais aussi de la pression sous laquelle le pétrole jaillit. Alors que certains puits ne fournissent que quelques barils par jour (un baril = 158,9 litres) – c'est le cas aux États-Unis des gisements des petites compagnies –, d'autres peuvent en produire plusieurs dizaines de milliers quotidiennement : c'est le cas en Irak et dans le golfe Persique. Cependant, on ne connaît pas avec précision le rendement moyen des puits, car cela détermine l'importance des marges bénéficiaires par rapport au cours mondial. Le rendement des puits en Irak est bien plus important qu'au Koweït.

Les progrès des techniques de prospection et de forage sous-marins ont permis de découvrir sur nombre de plates-

↘ **Les grands flux d'échanges pétroliers dans le monde.** On peut voir sur cette carte que, contrairement à l'idée courante, les exportations pétrolières du Moyen-Orient vers les États-Unis ne sont pas très importantes. Ceux-ci importent surtout le pétrole dont ils ont besoin du Canada, du Mexique et du Venezuela. En revanche, ce sont bien les compagnies américaines qui réalisent, avec des gros profits, une grande part des importations européennes d'hydrocarbures en provenance du Moyen-Orient. Les pays producteurs de cette zone exportent en effet leur pétrole vers l'Europe, via les compagnies américaines (à l'exception de l'Iran qui commercialise son pétrole elle-même), mais, peu à peu, ils se tournent vers l'Inde, le Japon, l'Asie du Sud-Est et la Chine. La Russie et les pays proches de la mer Caspienne exportent surtout vers l'Europe, mais, eux aussi, ils vont le faire de plus en plus vers la Chine.

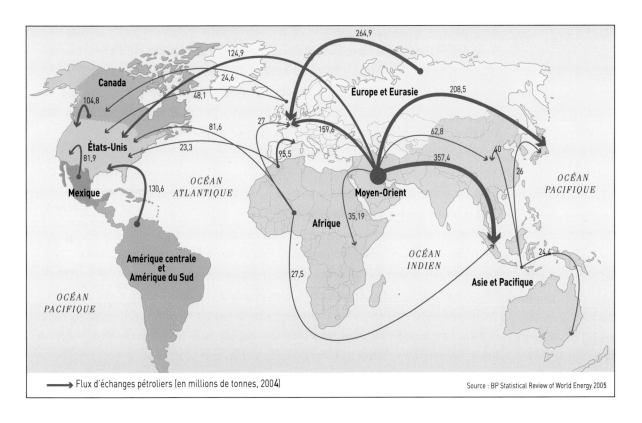

→ Flux d'échanges pétroliers (en millions de tonnes, 2004)

Source : BP Statistical Review of World Energy 2005

formes marines en bordure des continents d'importants gisements d'hydrocarbures. C'est le cas dans l'océan glacial arctique, au nord de la Sibérie, et au large des côtes de l'Afrique occidentale. L'importance des réserves fait que l'on parle désormais du « deuxième golfe » pour le golfe de Guinée (par référence au golfe Persique). Plus les cours du pétrole sont élevés, plus il devient rentable de forer à grande profondeur. Si l'épuisement, dans les vingt années à venir, des réserves pétrolières mondiales n'est guère probable, le pétrole sera de plus en plus cher.

Les « Majors » et le rôle du Cartel international des pétroles

Sur le marché mondial du pétrole, les compagnies américaines tiennent une position prépondérante. Cela s'explique par le fait que les États-Unis ont été les premiers grands producteurs de pétrole. Il faut cependant distinguer différents types de compagnies pétrolières américaines. Aux États-Unis, les propriétaires du sol sont aussi propriétaires du sous-sol et il y a donc encore des milliers de petites compagnies qui appartiennent à des propriétaires fonciers.

La première grande compagnie pétrolière des États-Unis, la Standard Oil, fondée en 1870 par John Rockfeller, a établi sa puissance sur le raffinage et le transport du pétrole qu'elle achetait à bas prix à de petites compagnies. Elle fut obligée en 1912 par la Cour suprême à se diviser en trente-trois compagnies : la plus grande, la Standard Oil of New Jersey, a pris le nom d'Esso, puis d'Exxon. Contrairement à ce que l'on croit souvent, les grandes compagnies américaines n'ont pas cherché à faire disparaître les petites, car celles-ci contribuent, par la faiblesse du rendement de leurs puits, à maintenir le pétrole à un prix élevé. Aussi les grandes compagnies dont les gisements sont en Amérique latine ou au Moyen-Orient importent-elles aux États-Unis du pétrole très bon marché, mais elles le vendent avec une marge bénéficiaire considérable, puisque les petites compagnies maintiennent des prix élevés.

Trois grandes compagnies, deux britanniques, l'Anglo-Iranian (aujourd'hui BP) et la Shell (Royal Dutch Shell), et une française, Total (Compagnie française des pétroles), ont constitué en 1927 avec quatre compagnies américaines le Cartel international des pétroles, qui fixait au pétrole un même prix dans le monde entier (sauf aux USA). Ce système, organisé par les « sept sœurs » pour leur plus grand profit, s'est maintenu jusqu'à ce qu'un nombre croissant de pays qui leur

Les 10 premières compagnies pétrolières au monde en 2003

Rang	Compagnies	Pays	Chiffre d'affaires** consolidé*	Résultat net ** consolidé
1	BP	Royaume-Uni	232 571	10 267
2	Exxon Mobil	États-Unis	222 883	22 204
3	Royal Dutch Shell	Pays-Bas /Royaume-Uni	201 728	12 496
4	Total	France	118 382	8 166
5	Chevron-Texaco	États-Unis	114 666	7 310
6	Conoco-Phillips	États-Unis	91 392	4 755
7	ENI	Italie	59 275	6 961
8	Repsol-YPF	Espagne	42 087	2 523
9	Nippon Oil	Japon	40 375	- 1 338
10	Statoil	Norvège	35 247	2 381

* hors taxes spéciales   ** en milliards de dollars   Source : Sociétés

avaient accordé des concessions, décident la nationalisation de l'exploitation pétrolière. L'Iran fut, en 1950, le premier État à le faire, faute de pouvoir obtenir de l'Anglo-Iranian 50 % des bénéfices, comme l'avait obtenu le Venezuela durant la guerre. Par la suite, un très grand nombre de pays producteurs, y compris l'Arabie saoudite, ont nationalisé les concessions qu'ils avaient accordées à des compagnies étrangères, celles-ci se chargeant de la prospection, des premiers traitements, du transport, et s'acquittant de forts impôts sur les bénéfices réalisés. Les « sept sœurs », auxquelles se sont ajoutés des « indépendants », font une grande partie de leurs profits dans le raffinage, et surtout avec la commercialisation dans les pays d'importation.

L'OPEP, les nouveaux producteurs et les compagnies asiatiques

L'Organisation des pays exportateurs de pétrole, l'OPEP, a été créée en 1960 à la conférence de Bagdad. À l'origine, cinq pays étaient membres de l'OPEP : l'Arabie saoudite, l'Iran, l'Irak, le Koweït et le Venezuela. Ils ont été rejoints par le Qatar (1961), l'Indonésie (1962), la Libye (1962), Abou Dabi et les Émirats arabes unis (1971), l'Algérie (1969), le Nigeria (1971) et récemment l'Angola (2007). Ces pays disposent chacun d'un quota de production, ce qui permet à l'Organisation de

La politique pétrolière des États-Unis : importer de préférence

Dès le début du XXe siècle, les compagnies américaines acquirent des concessions pétrolières dans les pays voisins. Il y avait pourtant encore beaucoup de pétrole aux États-Unis, dans la grande gouttière de terrains sédimentaires qui s'étend entre les Appalaches à l'est et les montagnes Rocheuses à l'ouest, depuis les Grands Lacs au nord et le golfe du Mexique au sud. Certes, au Texas, après la découverte de gros gisements, de nouvelles compagnies se développèrent, notamment la Texas Oil et la Gulf Oil. Mais, d'une façon générale, les grandes compagnies préférèrent produire à l'étranger sans avoir à subir les mesures qui protégeaient leurs concurrents de petite taille. En revanche, pour économiser le pétrole national, le gouvernement fédéral imposa aux producteurs nationaux de n'ouvrir le robinet des puits qu'une partie de la semaine. Les grandes compagnies partirent donc chercher ailleurs des gisements à gros rendement, de façon à vendre aux États-Unis un pétrole bon marché avec une très grosse marge bénéficiaire. C'est encore leur politique aujourd'hui. Déjà, en 1922, l'US Geological Survey (le Service géologique fédéral) avait évalué le volume des réserves mondiales de pétrole à 642 millions de tonnes, ce qui ne laissait pour les États-Unis que quelques décennies d'exploitation. En fait, les réserves mondiales seront évaluées à 90 milliards de tonnes en 1980. En se fondant sur cet argument, le gouvernement fédéral prit des mesures de réduction de la production américaine et encouragea l'importation de pétrole en provenance des pays étrangers. En l'occurrence, ce furent d'abord les pays les plus proches, Canada et Mexique. En effet, sur la côte est du Mexique et dans l'ouest du Canada, se prolonge la série de gisements des grandes plaines du Middle West et du Texas.

réduire la production de chacun lorsque les cours mondiaux sont trop bas et d'augmenter la production si les cours montent trop. Le Canada, le Mexique, la Grande-Bretagne, la Norvège, les États-Unis, la Russie ou l'Oman ne font pas partie de l'OPEP.

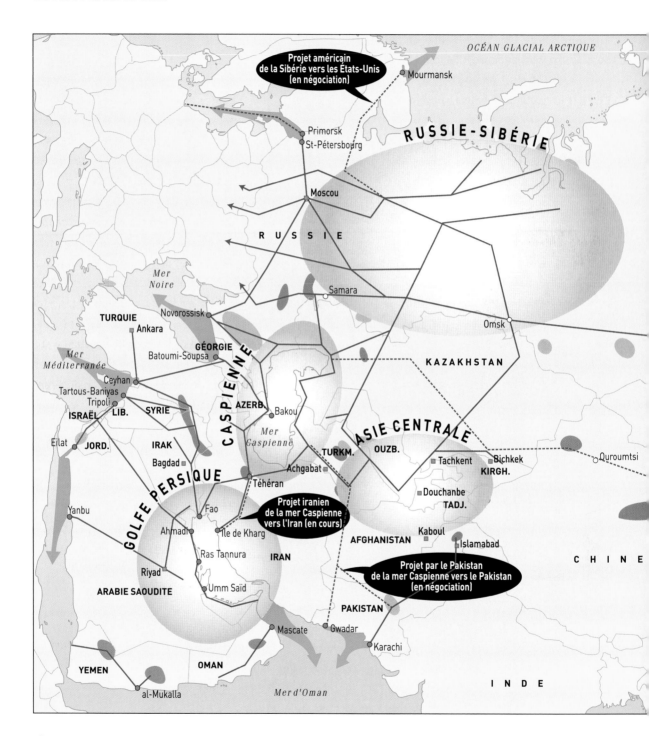

OCÉAN GLACIAL ARCTIQUE

Projet américain de la Sibérie vers les États-Unis (en négociation)

Mourmansk

Primorsk
St-Pétersbourg

RUSSIE-SIBÉRIE

Moscou

RUSSIE

Samara

Omsk

Mer Noire

TURQUIE

Ankara

Novorossisk

GÉORGIE

Batoumi-Soupsa

KAZAKHSTAN

Mer Méditerranée

CASPIENNE

Ceyhan

Tartous-Baniyas
Tripoli

AZERB.

Bakou

ASIE CENTRALE

LIB.

SYRIE

ISRAËL

Mer Gaspienne

TURKM.

OUZB.

Tachkent

Bichkek

Quroumtsi

Eilat

JORD.

IRAK

Bagdad

Achgabat

Téhéran

KIRGH.

Douchanbe

TADJ.

GOLFE PERSIQUE

Yanbu

Fao

Projet iranien de la mer Caspienne vers l'Iran (en cours)

Ahmadi

Île de Kharg

AFGHANISTAN

Kaboul

Islamabad

CHINE

Ras Tannura

IRAN

Riyad

Umm Saïd

ARABIE SAOUDITE

Projet par le Pakistan de la mer Caspienne vers le Pakistan (en négociation)

PAKISTAN

Mascate

Gwadar

Karachi

YEMEN

OMAN

al-Mukalla

Mer d'Oman

INDE

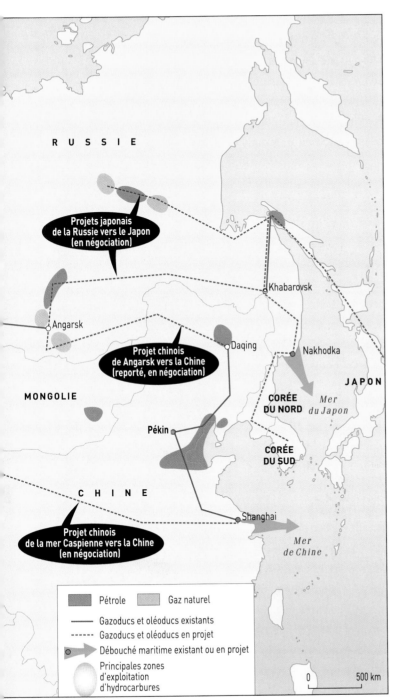

Depuis vingt ans, de nouveaux exportateurs de pétrole sont apparus. Avant la Révolution de 1917, la Russie fournissait l'Europe occidentale en pétrole de Bakou, mais ces exportations cessèrent, car les compagnies françaises et anglaises, qui avaient été spoliées par l'étatisation. Depuis la dislocation de l'URSS, la mise en œuvre de techniques nouvelles de prospection par les compagnies américaines et anglaises, associées à des producteurs russes, permit de découvrir de nouvelles réserves à Bakou et au Kazakhstan, dans le nord et l'est de la mer Caspienne. À partir de 2003, avec la montée considérable des cours du pétrole, les nouveaux « oligarques » russes firent de très belles affaires : non seulement ils transférèrent leurs profits à l'étranger, mais, pour

← **Pétrole et gaz d'Eurasie : le grand bras de fer diplomatique.**
Les tailles des ellipses figurant sur cette carte sont proportionnelles à la taille des territoires où sont situés les gisements, mais pas à l'importance de la production de ceux-ci. Le Moyen-Orient, où les gisements sont concentrés autour du golfe Persique et de la Mésopotamie, est ainsi représenté par un cercle nettement plus petit que celui qui figure sur la Russie, où les gisements sont dispersés sur de vastes étendues. On peut comprendre aussi, en observant leurs tracés, que les projets de gazoducs et d'oléoducs font l'objet d'âpres négociations entre pays producteurs, pays consommateurs et compagnies pétrolières et gazières.

Légende carte :
- Projets japonais de la Russie vers le Japon (en négociation)
- Projet chinois de Angarsk vers la Chine (reporté, en négociation)
- Projet chinois de la mer Caspienne vers la Chine (en négociation)

RUSSIE
Khabarovsk
Angarsk
MONGOLIE
Daqing
Nakhodka
JAPON
CORÉE DU NORD
Mer du Japon
Pékin
CORÉE DU SUD
CHINE
Shanghai
Mer de Chine

Pétrole | Gaz naturel
Gazoducs et oléoducs existants
Gazoducs et oléoducs en projet
Débouché maritime existant ou en projet
Principales zones d'exploitation d'hydrocarbures

0   500 km

réduire le rôle de l'État et les risques de renationalisation, ils s'associent à des financiers anglais ou américains, ceux-ci devenant même PDG des compagnies pétrolières opérant en Russie. Le président Poutine, avec l'approbation des Russes, a mis un terme à de telles opérations. L'État russe a repris le contrôle de l'exploitation pétrolière, mais il ne parvient guère à contrôler celle des nouveaux États indépendants d'Asie centrale, qui sont associés à des compagnies occidentales.

La montée en puissance de la Chine fait que ses besoins en hydrocarbures deviennent de plus en plus considérables. Aussi les compagnies d'État chinoises se lancent-elles « à l'assaut », financièrement parlant, de nouvelles zones pétrolières, en Amérique latine, en Afrique (notamment au Soudan) et surtout en Asie centrale, d'où l'on peut faire venir directement le pétrole, et aussi le gaz, par de très longues canalisations. Les portes de Dzoungarie ouvrent un passage dans les très grandes chaînes de montagnes qui ferment la Chine à l'ouest.

Vers un cartel du gaz ?

Alors que, depuis le début du XXᵉ siècle, le pétrole fait l'objet d'un commerce mondial transocéanique, le gaz naturel, dont l'utilisation est bien plus tardive, commence seulement depuis une vingtaine d'années à connaître un transfert à assez grande distance. Les techniques de transport de gaz liquéfié à très basse température ont été peu à peu mises au point et sécurisées ; aussi permettent-elles des transports à grande distance, par des navires méthaniers. Mais c'est surtout la construction de gazoducs qui a élargi le marché des pays producteurs de gaz. Le principal producteur est la Russie, qui, au temps de l'URSS, avait commencé à fournir les pays qu'elle dominait par un réseau de canalisations. Celles-ci existent encore et pourraient être le début d'un réseau fournissant l'ensemble de l'Union européenne. Mais certains dirigeants européens s'inquiètent de voir l'Union devenir dépendante de la Russie pour ce qui est du gaz. Le gouvernement de Moscou a en effet donné la preuve qu'il pouvait interrompre la livraison de gaz à des États dont la politique lui déplaît, comme l'Ukraine. Par ailleurs, des pays d'Europe de l'Est récemment admis dans l'Union européenne, comme la Pologne, usent du passage sur leur territoire des gazoducs venant de Russie comme d'un moyen de chantage contre telle ou telle mesure « européenne » qui ne leur convient pas. Aussi le gouvernement allemand a-t-il décidé avec le gouvernement russe de la construction d'un gazoduc sous la mer Baltique pour relier la région de Saint-Pétersbourg au nord de l'Allemagne. Le développement du marché mondial du

→ **Le Marché mondial du gaz.** À la différence du marché pétrolier, celui du gaz est encore largement circonscrit à trois zones géographiques : l'Amérique, l'Europe, avec l'Algérie, la mer du Nord et la Russie, et enfin l'Extrême-Orient, de l'Indonésie au Japon. En effet, le transport interocéanique du gaz par navires méthaniers est relativement dangereux et onéreux, car il faut mobiliser d'importants moyens pour alimenter des réfrigérateurs géants qui maintiennent le gaz à de très basses températures afin d'éviter les explosions. Une grande partie du gaz s'échappant des puits de pétrole du Moyen-Orient ou du Nigeria est brûlé nuit et jour dans des torchères, faute de gazoducs permettant son transport à grande distance. Les besoins croissants en gaz ont, par ailleurs, renforcé l'importance géopolitique de la Russie.

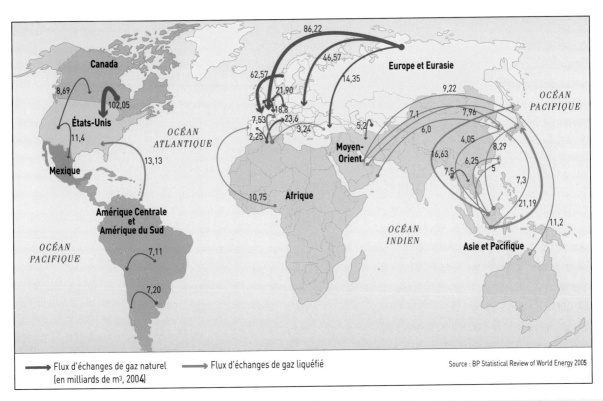

Flux d'échanges de gaz naturel ⟶   ⟶ Flux d'échanges de gaz liquéfié
(en milliards de m³, 2004)

Source : BP Statistical Review of World Energy 2005

gaz, dont les prix sont plus ou moins indexés sur ceux du pétrole, conduit certains gros producteurs et exportateurs à envisager la création d'un cartel du gaz ou d'une OPEP du gaz. La Russie, l'Algérie, l'Iran, le Venezuela y seraient favorables. La Chine est en train de construire un grand port méthanier à Gwadar, sur la côte du Pakistan, au débouché d'un gazoduc venant du Turkménistan, à travers l'Afghanistan. La montée en puissance de la Chine, mais aussi celle de l'Inde, qui a de grands besoins en énergie, va sans doute sensiblement modifier la géopolitique du pétrole et du gaz. ∎

Les dix premiers producteurs de gaz naturel au monde

Rang	Pays	Production (en Mtep)	Part de la production mondiale (en %)
1	Russie	530,2	21,9
2	États-Unis	488,6	20,2
3	Canada	164,5	6,8
4	Royaume-Uni	86,3	3,6
5	Iran	77,0	3,2
6	Algérie	73,8	3,0
7	Norvège	70,6	2,9
8	Indonésie	66,0	2,7
9	Pays-Bas	61,9	2,6
10	Arabie saoudite	57,6	2,4

Source : BP Statistical Review of World Energy 2005

Index

Achevé d'imprimer en avril 2007
par Graficas Estella (Espagne)
n° de projet : 110 05 432